USING

C000174082

The 784km Camino Francés pil~~grimage~~
France to Santiago de Composte~~la~~
book is part of a two-volume gu~~ide~~
It contains

- stage-by-stage maps showin~~g~~ ~~...available at different~~
  places
- over 120 town and village maps that help the reader to find the exact location
  of albergues and other sites important to pilgrims.

Each two-page spread of this map booklet shows a 1:100,000 scale map of the route
that corresponds to the sample staging in the accompanying guidebook. You are
encouraged to devise your own staging to suit your own needs and interests using the
information on distances and facilities shown on the maps.

Other features include:

Stage summary box
For each stage a box shows the stage start and finish, total distance and estimated
durations (walking time, not including coffee breaks, lunches or other wanderings of
a typical pilgrim day).

Profile
For each stage a profile is included showing the elevation of the stage and the
altitude of key places along the way, to give you an idea of what to expect.

Distances, municipal information and infrastructure symbols
Key villages, towns and cities ('municipalities') passed along the route are shown
in a box, with symbols that summarize the facilities available in that location. A
pink distance marker (white with pink lettering for an alternative route) shows the
distance between municipalities, making it easy to calculate how far it is between
facilities.

Town maps
Selected municipalities along the route appear in boxes with a white tinted
background. These places have an additional town or village map showing the
location of accommodation and key facilities. Municipalities without town maps
appear in boxes with a green background.

For more information about the facilities and accommodation symbols shown on
the stage maps and town maps see the key on the inside cover.

LIST OF STAGES (SAMPLE ITINERARY)

Stage number	Start	Finish	Distance	Time	Page
Section 1: Saint-Jean-Pied-de-Port to Pamplona					
Stage 1	Saint-Jean-Pied-de-Port	Roncesvalles	24.7km	8¼hr	9
Stage 2	Roncesvalles	Zubiri	21.8km	6¼hr	11
Stage 3	Zubiri	Pamplona	21.1km	6hr	15
Section 2: Pamplona to Burgos					
Stage 4	Pamplona	Puente la Reina	24.4km	7hr	19
Stage 5	Puente la Reina	Estella	21.6km	6¼hr	21
Stage 6	Estella	Los Arcos	21.6km	6hr	25
Stage 7	Los Arcos	Logroño	28.6km	8hr	29
Stage 8	Logroño	Nájera	28.5km	7¾hr	35
Stage 9	Nájera	Santo Domingo de la Calzada	22.1km	6hr	36
Stage 10	Santo Domingo de la Calzada	Belorado	22.5km	6¼hr	38
Stage 11	Belorado	San Juan de Ortega	24.0km	6¾hr	40
Stage 12	San Juan de Ortega	Burgos	26.8km	7hr	44
Section 3: Burgos to León					
Stage 13	Burgos	Hontanas	31.7km	8½hr	51
Stage 14	Hontanas	Boadilla del Camino	28.8km	7¾hr	52
Stage 15	Boadilla del Camino	Carrión de los Condes	25.3km	6½hr	57
Stage 16	Carrión de los Condes	Terradillos de los Templarios	26.4km	6¾hr	61
Stage 17A	Terradillos de los Templarios	Bercianos del Real Camino	24.5km	6½hr	62
Stage 17B	Terradillos de los Templarios	Calzadilla de los Hermanillos	27.7km	7½hr	62

Stage number	Start	Finish	Distance	Time	Page
Stage 18A	Bercianos del Real Camino	Mansilla de las Mulas	26.8km	7hr	64
Stage 18B	Calzadilla de los Hermanillos	Mansilla de las Mulas	23.9km	6hr	69
Stage 19	Mansilla de las Mulas	León	19.1km	5hr	73
Section 4: León to Sarria					
Stage 20	León	Hospital de Órbigo	35.7km	9¼hr	77
Stage 21	Hospital de Órbigo	Astorga	17.4km	4¾hr	80
Stage 22	Astorga	Foncebadón	25.7km	7½hr	84
Stage 23	Foncebadón	Ponferrada	26.9km	7¼hr	89
Stage 24	Ponferrada	Villafranca del Bierzo	23.6km	6½hr	93
Stage 25	Villafranca del Bierzo	La Faba	24.0km	7¼hr	97
Stage 26	La Faba	Triacastela	25.9km	7¾hr	101
Stage 27	Triacastela	Sarria	17.3km	4¾hr	103
Section 5: Sarria to Santiago de Compostela					
Stage 28	Sarria	Portomarín	23.0km	6½hr	107
Stage 29	Portomarín	Palas de Rei	25.3km	7¼hr	109
Stage 30	Palas de Rei	Arzúa	29.6km	8¼hr	113
Stage 31	Arzúa	O Pedrouzo	19.7km	5½hr	117
Stage 32	O Pedrouzo	Santiago de Compostela	20.0km	5½hr	119
Section 6: Santiago de Compostela to Finisterre/Muxía					
Stage 33	Santiago de Compostela	Negreira	21.2km	6¼hr	125
Stage 34	Negreira	Olveiroa	34.5km	9¾hr	127
Stage 35A	Olveiroa	Finisterre	35.7km	10hr	131–133
Stage 35B	Olveiroa	Muxía	31.6km	9hr	131–139
Stage 36	Finisterre	Muxía	29.5km	8½hr	142

Overview map

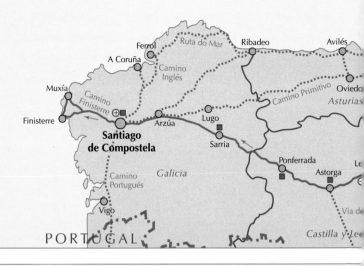

Overview profile

Key:
> distance to Santiago
de Compostela

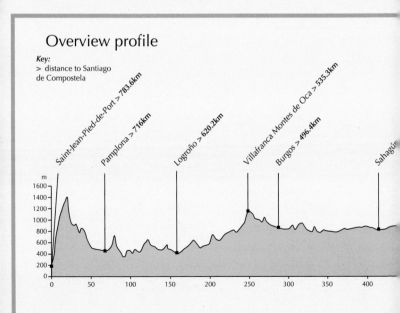

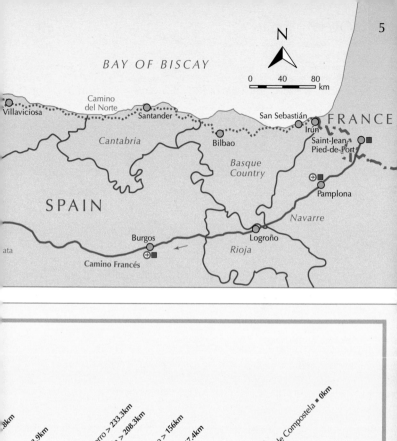

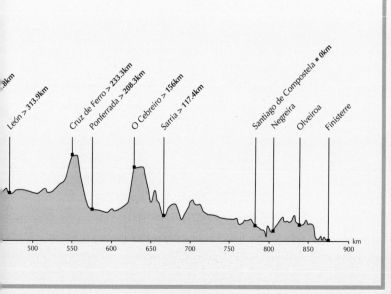

ISBN: 978 1 78631 005 7

Reprinted 2022 (with updates)

Route mapping by Lovell Johns www.lovelljohns.com

Printed in China on responsibly sourced paper on behalf of
Latitude Press Ltd

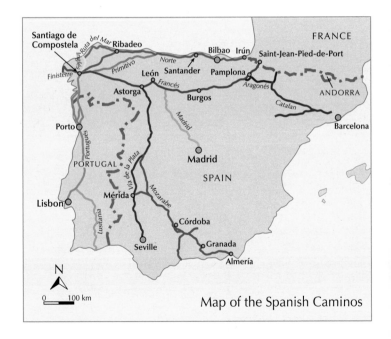

Map of the Spanish Caminos

ROUTE SUMMARY TABLE

Section	Overview	Places	Distance	Time
Section 1	**Saint-Jean-Pied-de-Port to Pamplona:** Steep Pyrenees then gentle foothills leading to Pamplona	Saint-Jean-Pied-de-Port – Roncesvalles – Zubiri – Pamplona	68km	3 or more walking days
Section 2	**Pamplona to Burgos:** Low ridges and broad valleys through vineyards and grain fields until a mountainous crossing	Pamplona – Puente la Reina – Estella – Los Arcos – Logroño – Nájera – Santo Domingo de la Calzada – Belorado – San Juan de Ortega – Burgos	220km	9 or more walking days
Section 3	**Burgos to León:** The broad and flat Meseta with little shade and few services	Burgos – Hontanas – Boadilla del Camino – Carrión de los Condes – Terradillos de los Templarios – Bercianos del Real Camino or Calzadilla de los Hermanillos – Mansilla de las Mulas – León	183km	7 or more walking days
Section 4	**León to Sarria:** The fertile Bierzo region between climbs to Cruz de Ferro and Alto do Poio	León – Hospital de Órbigo – Astorga – Foncebadón – Ponferrada – Villafranca del Bierzo – La Faba – Triacastela – Sarria	196km	8 or more walking days
Section 5	**Sarria to Santiago de Compostela:** Forests, dairy farms and eucalyptus plantations in undulating countryside	Sarria – Portomarín – Palas de Rei – Arúza – O Pedrouzo – Santiago de Compostela	117km	5 or more walking days
Section 6*	**Santiago de Compostela to Finisterre or Muxía:** Galician farmlands opening out to the dramatic Costa da Morte	Santiago de Compostela – Negreira – Olveiroa – Finisterre – Muxía	91 or 87km	3 or more walking days

* Additional stages beyond Santiago to the Atlantic coast

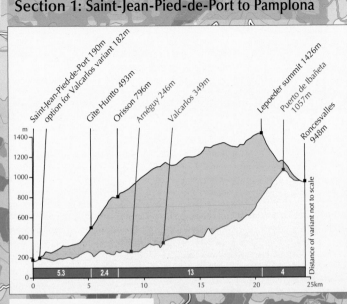

For additional town maps for
Stage 1 see pages 12–13

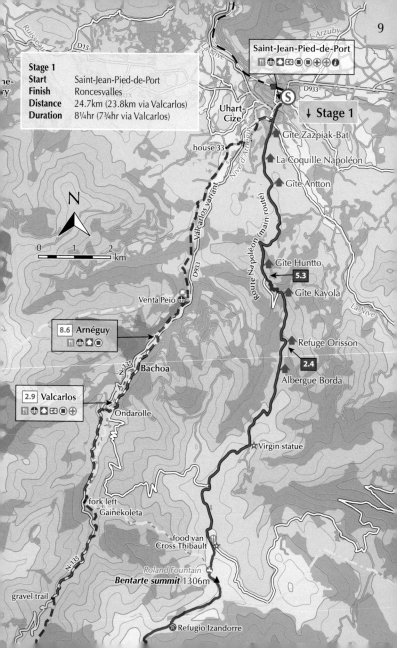

Stage 1
Start Saint-Jean-Pied-de-Port
Finish Roncesvalles
Distance 24.7km (23.8km via Valcarlos)
Duration 8¼hr (7¾hr via Valcarlos)

Saint-Jean-Pied-de-Port

↓ **Stage 1**

Gîte Zazpiak-Bat

▲ La Coquille Napoléon

▲ Gîte Anttón

house 33

Route Napoléon (main route)

Gîte Huntto
5.3

▲ Gîte Kayola

Venta Peio

8.6 Arnéguy

▲ Refuge Orisson
2.4

Bachoa

▲ Albergue Borda

2.9 Valcarlos

Ondarolle

☆ Virgin statue

fork left
Gainekoleta

food van
Cross Thibault ☆

Roland Fountain
Bentarte summit 1306m

gravel trail

⌂ Refugio Izandorre

Urepel

D50

Na-138

Zubiri

Río Arga

1 Municipal Albergue Zubiri
2 Albergue Río Arga
3 Albergue Segunda Etapa
4 Albergue Suseia
1 Albergue Zaldiko
2 Albergue El Palo de Avellano
1 Pensión Amets
3 Pensión Usoa
4 Pensión Zubiaren Etxea
1 Casa Rural Txantxorena

SF

N-135

For additional town maps for
Stage 2 see page 13

Eugi
balse
Eugi

Sorabil Creek

N-138

Alto de
Mezkiritz
923m

N-13

N-135

El Fuerte

Río Erro

5.2 Viscarret

2.0 Linzoain

Río Arga

Karrobide
Alto
Erro

Erro

N-135

N

0   1   2
km

SF

magnesium
factory

8.2 Zubiri

Río Erro

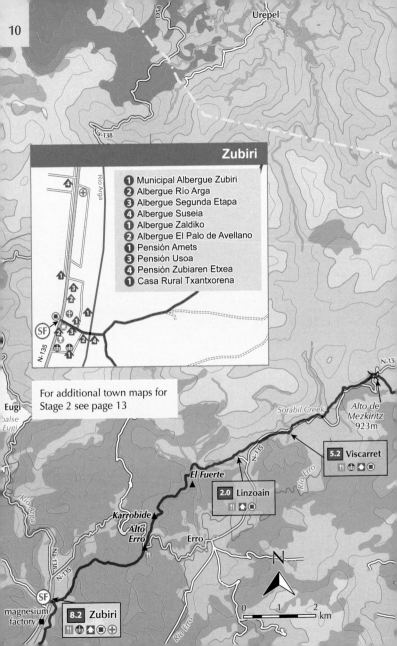

Gainekoleta

food van
Cross Thibault

N-135

Roland Fountain

gravel trail

▲ **Bentarte summit** 1306m

□ Refugio Izandorre

Casa Borda Guardiano 878m

N-135

13.0 ▲ *Lepoeder summit* 1426m

Puerto de Ibañeta 1057m

10.7

4.0 Roncesvalles/Orreaga **1.7**
🍴🏨🏠ⓘ → **SF**

↓ **Stage 2**

Sorginaritzaga Forest

2.9 Burguete/Auritz
🍴⊕⊠🏠⊕⊕⊕

N-135

3.6 Espinal
🍴⊕🏠⊠⊕⊕⊕

Orbara

Stage 2	
Start	Roncesvalles
Finish	Zubiri
Distance	21.8km
Duration	6¼hr

ri/Villar
Aezko

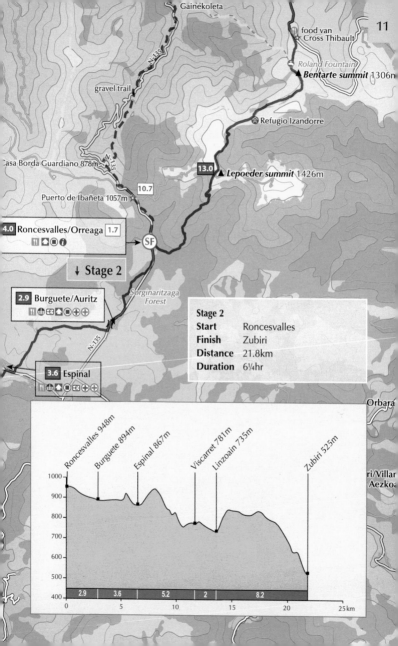

Roncesvalles 948m
Burguete 894m
Espinal 867m
Viscarret 781m
Linzoain 735m
Zubiri 525m

2.9 | 3.6 | 5.2 | 2 | 8.2

Saint-Jean-Pied-de-Port

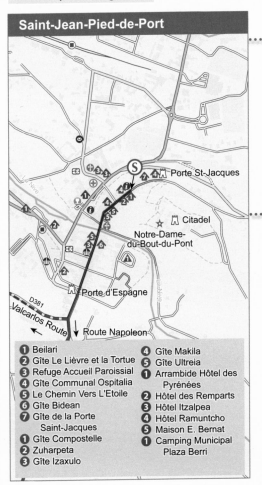

Porte St-Jacques

☆ Citadel

Notre-Dame-
du-Bout-du-Pont

Porte d'Espagne

D381

Valcarlos Route

Route Napoleon

1 Beilari
2 Gîte Le Lièvre et la Tortue
3 Refuge Accueil Paroissial
4 Gîte Communal Ospitalia
5 Le Chemin Vers L'Etoile
6 Gîte Bidean
7 Gîte de la Porte
   Saint-Jacques
1 Gîte Compostelle
2 Zuharpeta
3 Gîte Izaxulo

4 Gîte Makila
5 Gîte Ultreia
1 Arrambide Hôtel des
   Pyrénées
2 Hôtel des Remparts
3 Hôtel Itzalpea
4 Hôtel Ramuntcho
5 Maison E. Bernat
1 Camping Municipal
   Plaza Berri

See page 10 for town
map of Zubiri

Valcarlos/Luzaide

1 Albergue de Luzaide/Valcarlos Municipal

Roncesvalles/Orreaga

1 Albergue de Roncesvalles
1 Hotel Roncesvalles-Orreaga
2 Casa Sabina Hostería
3 La Posada Hotel

Burguete/Auritz

1 Albergue Lorentx Aterpea
1 Hostal Burguete
1 Casa Pedroarena
2 Casa Rural Bergara Landetxea

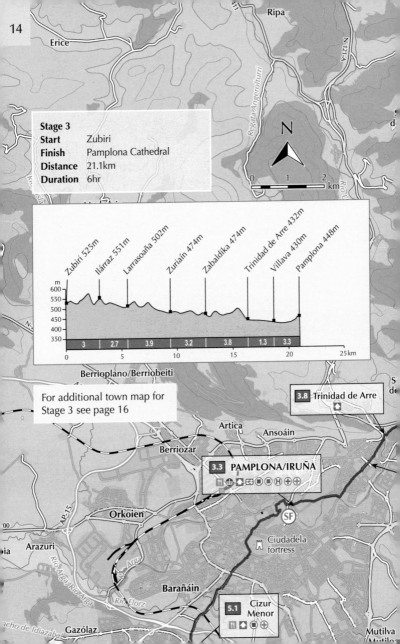

Erice

Ripa

Stage 3
Start Zubiri
Finish Pamplona Cathedral
Distance 21.1km
Duration 6hr

N

0   1   2
km

Zubiri 525m
Ilárraz 551m
Larrasoaña 502m
Zuriáin 474m
Zabaldika 474m
Trinidad de Arre 432m
Villava 430m
Pamplona 448m

m
600
550
500
450
400
350

| 3 | 2.7 | 3.9 | 3.2 | 3.8 | 1.3 | 3.3 |

0   5   10   15   20   25 km

Berrioplano/Berriobeiti

For additional town map for
Stage 3 see page 16

3.8 Trinidad de Arre

Artica   Ansoáin

Berriozar

3.3 PAMPLONA/IRUÑA

Orkoien

Arazuri

Barañáin

SF

Ciudadela
fortress

5.1 Cizur
Menor

Gázolaz

Mutilva

acho de Idiazabal

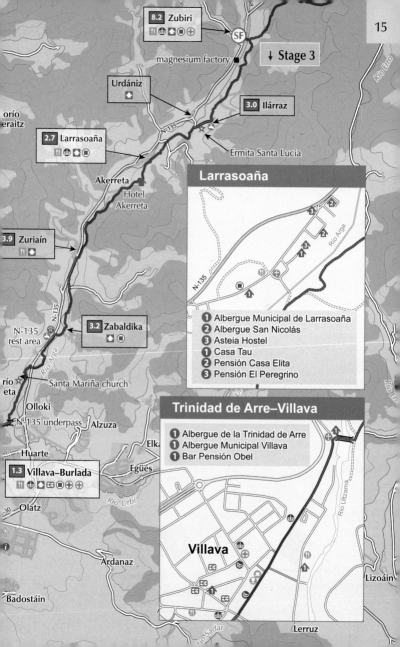

8.2 Zubiri 🍴⊕🏠⊙⊕

magnesium factory

↓ **Stage 3**

Urdániz 🏠

3.0 Ilárraz

orío eraitz

2.7 Larrasoaña 🍴⊕🏠◉

Ermita Santa Lucia

Akerreta

Hotel Akerreta

3.9 Zuriáin 🍴🏠

N-135 rest area

3.2 Zabaldika 🏠◉

río eta

Santa Mariña church

Olloki

N-135 underpass   Alzuza

Huarte

Elka

1.3 Villava–Burlada 🍴⊕🏠🆘⊠⊙⊕⊕

Egüés

Olatz

Ardanaz

Badostáin

Larrasoaña

1 Albergue Municipal de Larrasoaña
2 Albergue San Nicolás
3 Asteia Hostel
1 Casa Tau
2 Pensión Casa Elita
3 Pensión El Peregrino

Trinidad de Arre–Villava

1 Albergue de la Trinidad de Arre
1 Albergue Municipal Villava
1 Bar Pensión Obel

Villava

Lizoáin

Lerruz

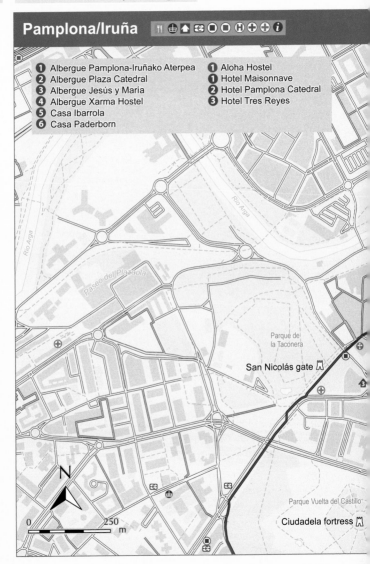

Pamplona/Iruña

1. Albergue Pamplona-Iruñako Aterpea
2. Albergue Plaza Catedral
3. Albergue Jesús y María
4. Albergue Xarma Hostel
5. Casa Ibarrola
6. Casa Paderborn

1. Aloha Hostel
1. Hotel Maisonnave
2. Hotel Pamplona Catedral
3. Hotel Tres Reyes

Río Arga

Río Arga

Paseo del Plazaola

Parque de la Taconera

San Nicolás gate

Parque Vuelta del Castillo

Ciudadela fortress

0   250 m

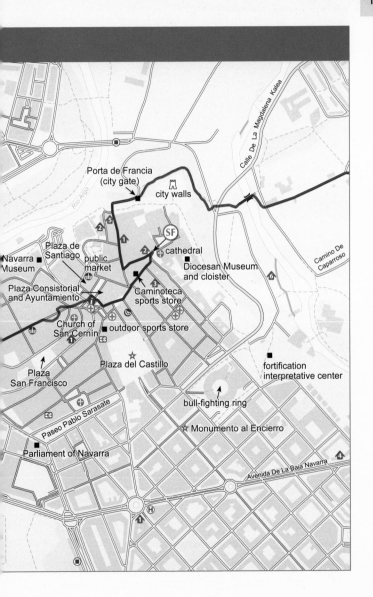

Porta de Francia
(city gate)

city walls

Navarra
Museum

Plaza de
Santiago

public
market

(SF)

cathedral

Plaza Consistorial
and Ayuntamiento

Diocesan Museum
and cloister

Caminoteca
sports store

Church of
San Cernín

outdoor sports store

Plaza
San Francisco

Plaza del Castillo

fortification
interpretative center

bull-fighting ring

Paseo Pablo Sarasate

Monumento al Encierro

Parliament of Navarra

Avenida De La Baja Navarra

Río Arga

Calle De La Magdalena Kalea

Camino De
Caparroso

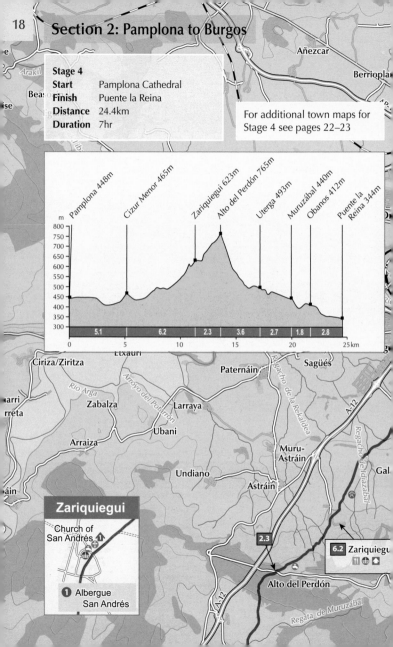

Section 2: Pamplona to Burgos

Stage 4
Start Pamplona Cathedral
Finish Puente la Reina
Distance 24.4km
Duration 7hr

For additional town maps for Stage 4 see pages 22–23

Zariquiegui

Church of San Andrés ❶

❶ Albergue San Andrés

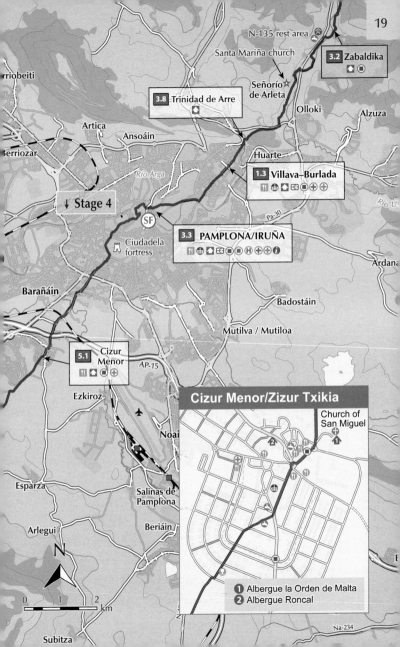

N-135 rest area

Santa Mariña church

Señorío de Arleta

3.2 Zabaldika

3.8 Trinidad de Arre

Olloki

Alzuza

rriobeiti

Artica

Ansoáin

Berriozar

Río Arga

↓ Stage 4

Huarte

1.3 Villava–Burlada

Pa-30

SF

Ciudadela fortress

3.3 PAMPLONA/IRUÑA

RÍO U

Ardana

Barañáin

Badostáin

Mutilva / Mutiloa

5.1 Cizur Menor

AP-15

Ezkiroz

Noai

Esparza

Salinas de Pamplona

Arlegui

Beriáin

N

0   1   2
km

Cizur Menor/Zizur Txikia

Church of San Miguel

1

2

1 Albergue la Orden de Malta
2 Albergue Roncal

Subitza

Na-234

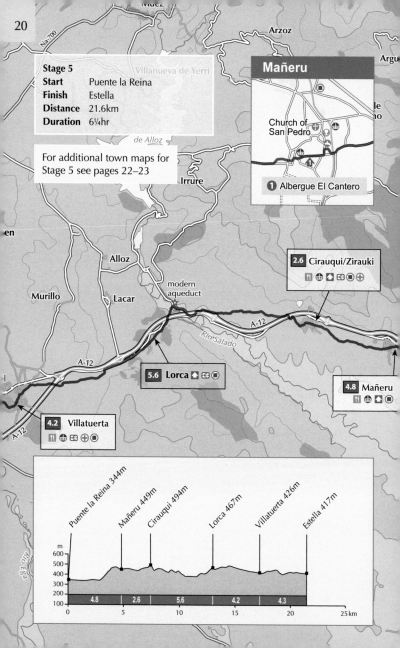

Stage 5
Start   Puente la Reina
Finish   Estella
Distance 21.6km
Duration 6¼hr

For additional town maps for
Stage 5 see pages 22–23

Mañeru

Church of
San Pedro

1 Albergue El Cantero

2.6 Ciraqui/Zirauki

4.8 Mañeru

5.6 Lorca

4.2 Villatuerta

Villanueva de Yerri

Irrure

Alloz

Murillo   Lacar

modern
aqueduct

Río Salado

A-12

A-12

Embalse
de Alloz

Na-700

Muez

Arzoz

Argu

le
no

en

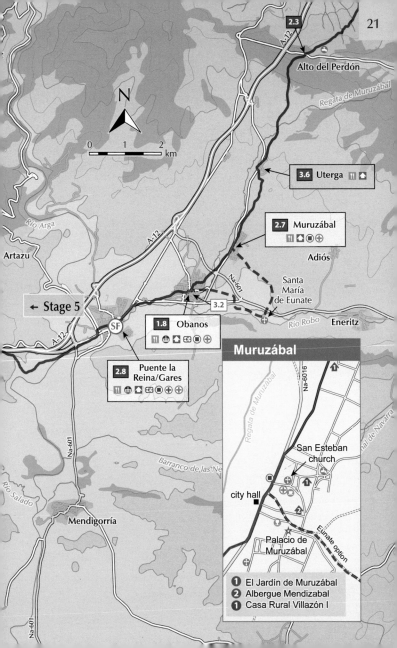

2.3

A-12

Alto del Perdón

Regata de Muruzábal

3.6 Uterga 🍴 🏠

2.7 Muruzábal
🍴 🏠 ⊙ ✚

Adiós

Santa
María
de Eunate

Río Arga

Artazu

← **Stage 5**

A-12

SF

3.2

Na-601

1.8 Obanos
🍴 ⊕ 🏠 ⊞ ⊙ ✚

2.8 Puente la
Reina/Gares
🍴 ⊕ 🏠 ⊞ ⊙ ✚ ⊕

✚ Río Robo

Eneritz

Na-601

Barranco de las Ne...

Mendigorría

Río Salado

Na-601

Muruzábal

Regata de Muruzábal

Na-6016

**San Esteban
church**

city hall ■

Canal de Navarra

Eunate option

★ **Palacio de
Muruzábal**

1 El Jardín de Muruzábal
2 Albergue Mendizabal
1 Casa Rural Villazón I

ii

escun

Jaxu

Obanos

San Juan Bautista church

city gate

Plaza de los Fueros

Eunate option

1 Albergue Atseden Hostel
2 Albergue Usda
1 Hostal Rural Mamerto
1 Casa Raichu
2 Casa Rural Villazón II
3 Estudio Villazón

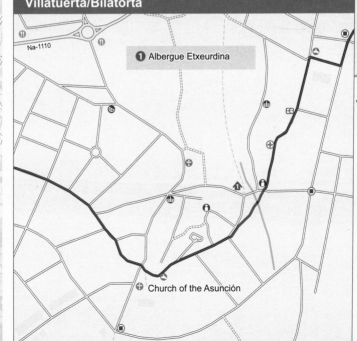

Villatuerta/Bilatorta

Na-1110

1 Albergue Etxeurdina

Church of the Asunción

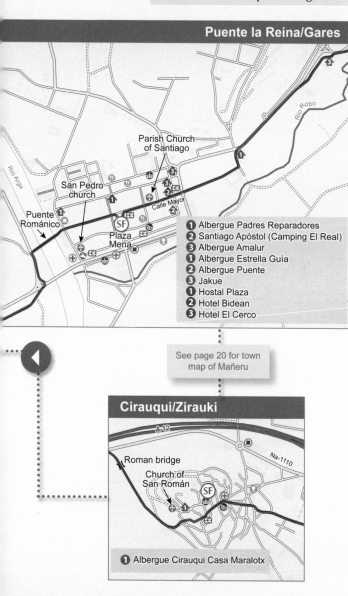

Puente la Reina/Gares

Parish Church of Santiago

San Pedro church

Rio Arga

Rio Robo

Puente Románico

Plaza Mena

Calle Mayor

1 Albergue Padres Reparadores
2 Santiago Apóstol (Camping El Real)
3 Albergue Amalur
1 Albergue Estrella Guía
2 Albergue Puente
3 Jakue
1 Hostal Plaza
2 Hotel Bidean
3 Hotel El Cerco

See page 20 for town map of Mañeru

Cirauqui/Zirauki

A-12

Na-1110

Roman bridge

Church of San Román

1 Albergue Cirauqui Casa Maralotx

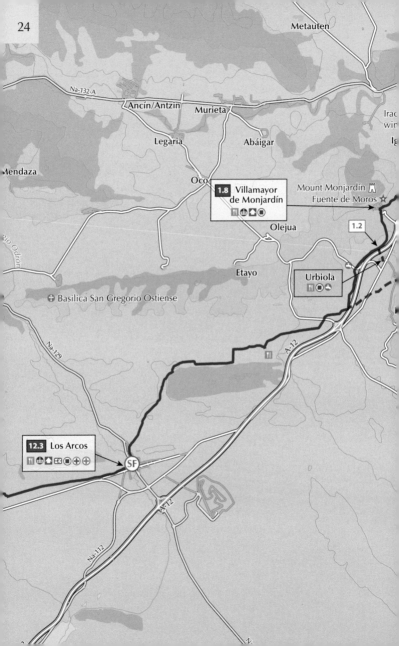

Metauten

Na-132-A

Ancín/Antzin   Murieta

Iraç
win

Legaria   Abáigar   Ig

Mendaza

Oco

1.8 Villamayor
de Monjardín

Mount Monjardín
Fuente de Moros ☆

1.2

Olejua

Etayo

Urbiola

✚ Basilica San Gregorio Ostiense

Rio Odrón

Na-129

A-12

Na-129

12.3 Los Arcos

SF

A-12

Na-112

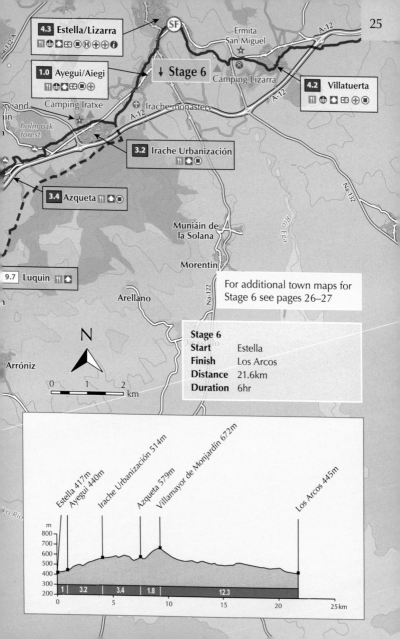

25

4.3 Estella/Lizarra

1.0 Ayegui/Aiegi

↓ Stage 6

Ermita
San Miguel

Camping Lizarra

4.2 Villatuerta

Camping Iratxe

Irache monastery

A-12

3.2 Irache Urbanización

holm oak
forest

3.4 Azqueta

Muniáin de
la Solana

Morentin

9.7 Luquin

Arellano

For additional town maps for
Stage 6 see pages 26–27

N

Arróniz

0   1   2
km

Stage 6	
Start	Estella
Finish	Los Arcos
Distance	21.6km
Duration	6hr

Estella 417m
Ayegui 440m
Irache Urbanización 514m
Azqueta 579m
Villamayor de Monjardín 672m
Los Arcos 445m

m
800
700
600
500
400
300
200

1 3.2 3.4 1.8 12.3

0   5   10   15   20   25km

Estella/Lizarra

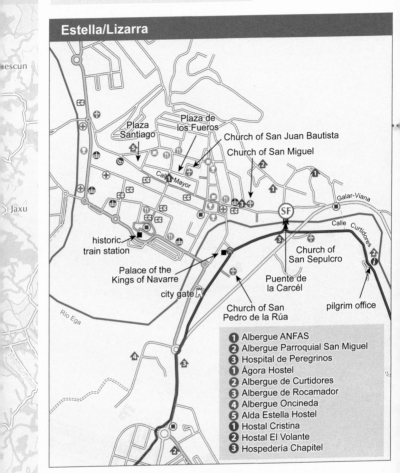

Plaza Santiago

Plaza de los Fueros

Church of San Juan Bautista

Church of San Miguel

Calle Mayor

Galar-Viana

Calle Curtidores

SF

historic train station

Palace of the Kings of Navarre

city gate

Church of San Sepulcro

Puente de la Carcél

Church of San Pedro de la Rúa

pilgrim office

Río Ega

1 Albergue ANFAS
2 Albergue Parroquial San Miguel
3 Hospital de Peregrinos
1 Ágora Hostel
2 Albergue de Curtidores
3 Albergue de Rocamador
4 Albergue Oncineda
5 Alda Estella Hostel
1 Hostal Cristina
2 Hostal El Volante
3 Hospedería Chapitel

escun

Jaxu

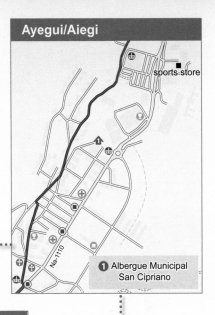

Ayegui/Aiegi

sports store

1 Albergue Municipal San Cipriano

Na-1110

Los Arcos

Na-129

Calle Mayor

Río Odrón

Arch of Felipe V

SF

Santa María de la Asunción

1 Albergue Isaac Santiago
2 Fuente Casa de Austria
1 Albergue Casa de la Abuela
2 Casa Alberdi
1 Hotel Mónaco
2 Pensión Los Arcos
3 Pensión Mavi
4 Pensión Ostadar

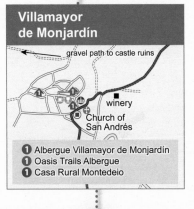

Villamayor de Monjardín

gravel path to castle ruins

winery

Church of San Andrés

1 Albergue Villamayor de Monjardín
1 Oasis Trails Albergue
1 Casa Rural Montedeio

Bustince

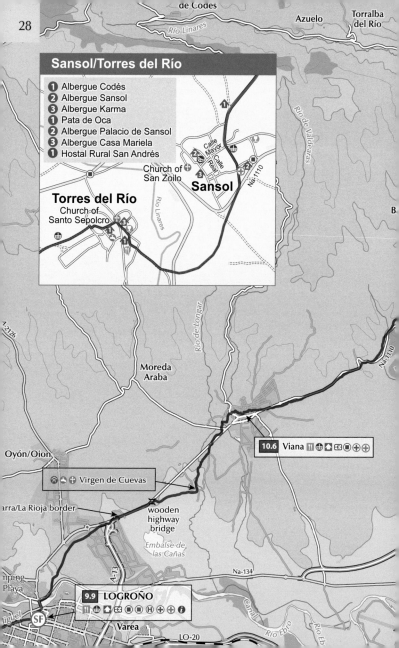

Sansol/Torres del Río

1 Albergue Codés
2 Albergue Sansol
3 Albergue Karma
1 Pata de Oca
2 Albergue Palacio de Sansol
3 Albergue Casa Mariela
1 Hostal Rural San Andrés

Torres del Río
Church of
Santo Sepolcro

Church of
San Zoilo

Sansol

Calle Mayor
Calle Real

Na-1110

Río Linares

Río de Valdearas

Río de Longar

Moreda
Araba

Oyón/Oion

🏠 🛏 ✚ Virgen de Cuevas

arra/La Rioja border

wooden
highway
bridge

*Embalse de
las Cañas*

10.6 Viana 🍴⊕🏠⬛⊠◉⊕⊕

9.9 LOGROÑO 🍴⊕🏠⬛⊠◉Ⓗ⊕⊕ ⓘ

🏕ping
Playa

SF

Varea

LO-20

Na-134

Río Ebro

Río Eb

Canal

A-T3

A-2126

de Codes

Azuelo

Torralba
del Río

Río Linares

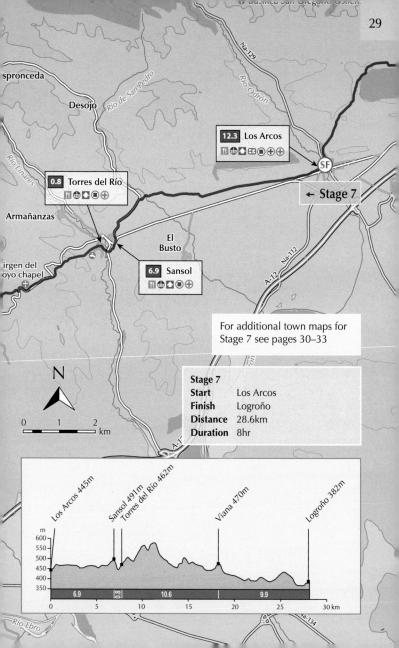

spronceda

Desojo

Río de San Pedro

Río Linares

Armañanzas

12.3 Los Arcos

0.8 Torres del Río

El Busto

irgen del oyo chapel

6.9 Sansol

For additional town maps for Stage 7 see pages 30–33

N

0   1   2 km

Stage 7
Start   Los Arcos
Finish   Logroño
Distance   28.6km
Duration   8hr

Los Arcos 445m

Sansol 491m
Torres del Río 462m

Viana 470m

Logroño 382m

m
600
550
500
450
400
350

0   5   10   15   20   25   30 km

6.9   0.8   10.6   9.9

← Stage 7

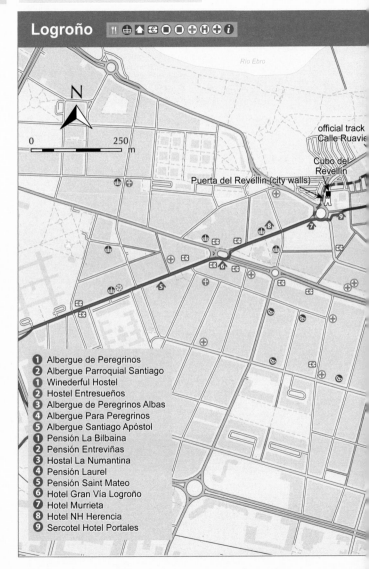

Logroño

official track
Calle Ruavie

Cubo del Revellín

Puerta del Revellín (city walls)

Río Ebro

N

0   250   m

1 Albergue de Peregrinos
2 Albergue Parroquial Santiago
1 Winederful Hostel
2 Hostel Entresueños
3 Albergue de Peregrinos Albas
4 Albergue Para Peregrinos
5 Albergue Santiago Apóstol
1 Pensión La Bilbaina
2 Pensión Entreviñas
3 Hostal La Numantina
4 Pensión Laurel
5 Pensión Saint Mateo
6 Hotel Gran Vía Logroño
7 Hotel Murrieta
8 Hotel NH Herencia
9 Sercotel Hotel Portales

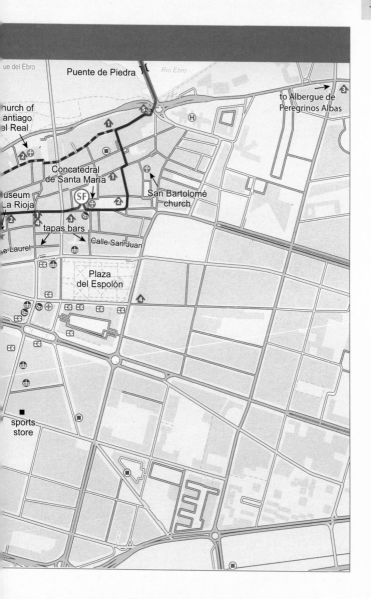

ue del Ebro

Puente de Piedra

Rio Ebro

to Albergue de
Peregrinos Albas

hurch of
antiago
el Real

Concatedral
de Santa María

San Bartolomé
church

useum
a Rioja

tapas bars

Calle San Juan

e Laurel

Plaza
del Espolón

sports
store

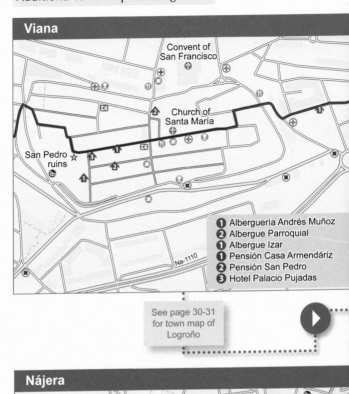

Viana

Convent of San Francisco

Church of Santa María

San Pedro ruins

Na-1110

1 Alberguería Andrés Muñoz
2 Albergue Parroquial
1 Albergue Izar
1 Pensión Casa Armendáriz
2 Pensión San Pedro
3 Hotel Palacio Pujadas

See page 30-31
for town map of
Logroño

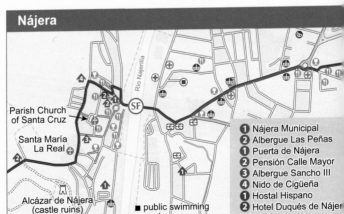

Nájera

Río Najerilla

Parish Church of Santa Cruz

Santa María La Real

Alcázar de Nájera (castle ruins)

SF

1 Nájera Municipal
2 Albergue Las Peñas
1 Puerta de Nájera
2 Pensión Calle Mayor
3 Albergue Sancho III
4 Nido de Cigüeña
1 Hostal Hispano
2 Hotel Duqués de Nájer

■ public swimming pool

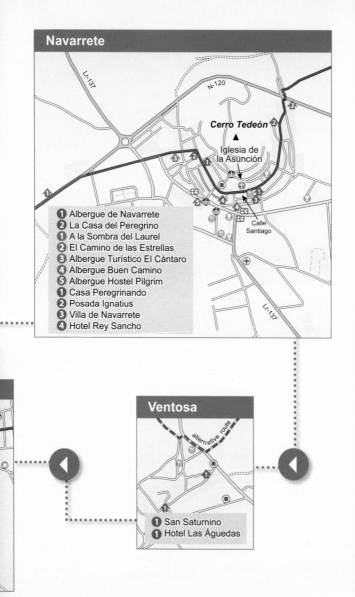

Navarrete

1 Albergue de Navarrete
2 La Casa del Peregrino
1 A la Sombra del Laurel
2 El Camino de las Estrellas
3 Albergue Turístico El Cántaro
4 Albergue Buen Camino
5 Albergue Hostel Pilgrim
1 Casa Peregrinando
2 Posada Ignatius
3 Villa de Navarrete
4 Hotel Rey Sancho

Cerro Tedeón
Iglesia de la Asunción
Calle Santiago

Ventosa

alternative route

1 San Saturnino
1 Hotel Las Águedas

Bustince

34

Stage 8 Elziego
Start   Logroño
Finish   Nájera
Distance   28.5km
Duration   7¾hr

For additional town maps for
Stage 8 see pages 32–33

Río Ebro

A-124

El Cortijo

ero

Río Ebro

N-232

Fuenmayor

Lr-137

AP-68

N

0   1   2
km

LO-20

Pantar de La Gr...

San Juan of Acre (ruins) ☆

Toro sign

Romanesque portal ☆

AP-68

A-12

12.5 Navarrete
🍴 ⊕ ⌂ ⊞ ⊚ ⊕ ⊕

Lr-137

4.0

1.5

2.0 Sotés
🍴 ⌂ ⊚

0.7 Ventosa
🍴 ⌂ ⊚

Hornos de
Moncalvillo

Entrena

Medrano

Daroca

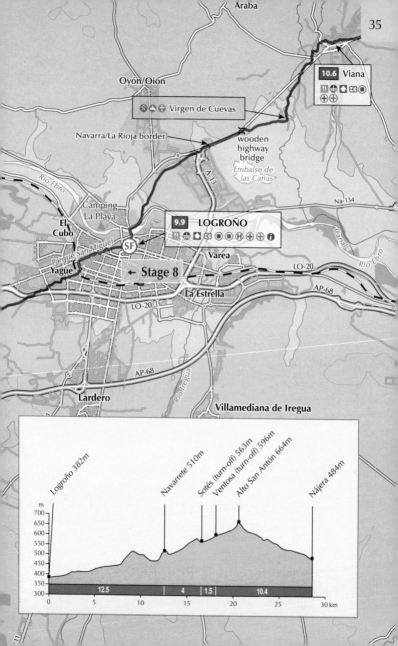

Araba

Oyón/Oión

🏠🏕️⛪ Virgen de Cuevas

Navarra/La Rioja border

wooden highway bridge

Embalse de las Cañas

10.6 Viana
🍴⊕🏠⊞🚌
⊕⊕

Na-134

Río Ebro

Camping La Playa

El Cubo

Río San Miguel

9.9 LOGROÑO
🍴⊕🏠⊞🚌🅿️⊞⊕⊕ℹ️

Varea

Canal

Río Ebro

LO-20

AP-68

Parque San Miguel

Yagüe

← Stage 8

La Estrella

LO-20

Lardero

AP-68

Río Iregua

Villamediana de Iregua

Logroño 382m · Navarrete 510m · Sotés (turn-off) 563m · Ventosa (turn-off) 596m · Alto San Antón 664m · Nájera 484m

12.5	4	1.5	10.4	

Stage 9
Start Nájera
Finish Santo Domingo de la Calzada
Distance 22.1km (including Cirueña café detour)
Duration 6hr

San Asensio

Torremontalbo

N-232

AP-68

N-232

AP-68

Lr-113

Lr-308

Hormilleja

Uruñuela

Rio Tuerto

Río Najerilla

Río Yalde

Hormilla

Huércanos

N-120

A-12

6.2 Azofra

10.4 Nájera

A-12

Cross of Nájera ☆ **SF**

food t

N-120

← Stage 9

Alesón

Tricio

Lr-136

Manjarrés

Azofra

❶ Azofra Municipal Albergue
❶ Pensión La Plaza
❷ Hotel Boutique Real Casona

Lr-206

Río Tuerto

Nuestra Señora
de los Ángeles

...na de Abajo

Arenzana
de Arriba

Bez...

Lr-205

...adarán

Canal Margen Derecha Najerilla

Canal Margen Iz...

El ortijo

Río Ebro

Río Ebro

| Nájera 484m | Azofra 548m | Cirueña 755m | Santo Domingo de la Calzada 638m |

m
800
750
700
650
600
550
500
450

0   5   10   15   20   25 km

6.2 **9.5** **6.4**

San Juan of Acre (ruins)

Toro sign

A-12

AP-68

Romanesque portal

4.0

1.5

12.5 Navarrete

A-12

Alto San Antón

LR-137

0.7 Ventosa

2.0 Sotés

Hornos de Moncalvillo

En

Medrano

Daroca de Rioja

Sojuela

N

0   1   2 km

a
ma

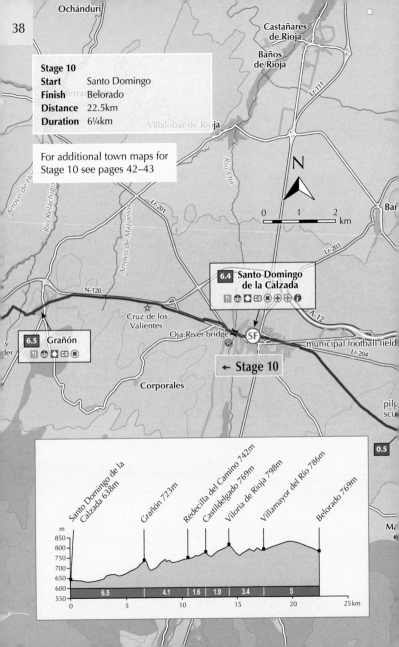

Stage 10
Start Santo Domingo
Finish Belorado
Distance 22.5km
Duration 6¼km

For additional town maps for Stage 10 see pages 42–43

6.4 Santo Domingo de la Calzada

6.5 Grañón

Cruz de los Valientes

Oja River bridge

← Stage 10

municipal football field

Corporales

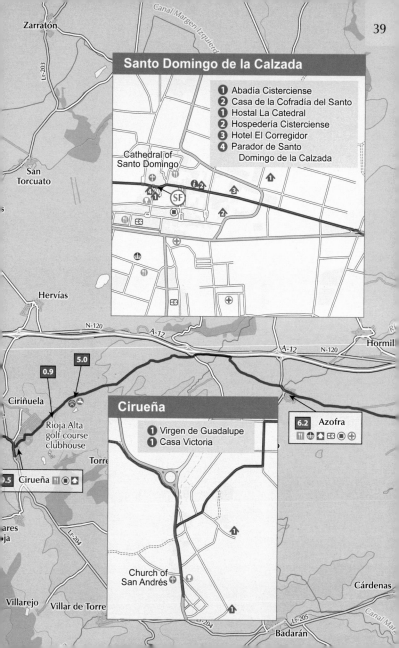

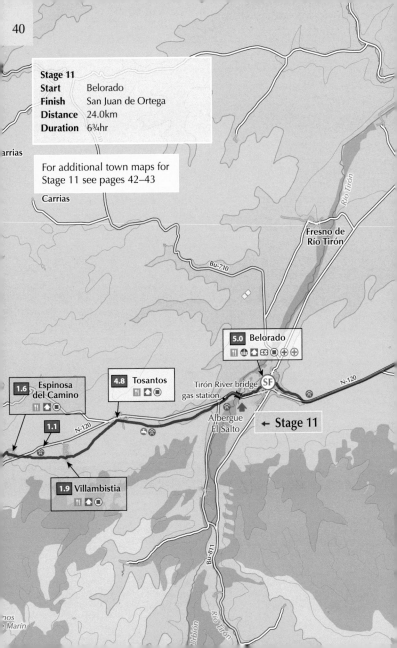

Stage 11
Start Belorado
Finish San Juan de Ortega
Distance 24.0km
Duration 6¾hr

For additional town maps for
Stage 11 see pages 42–43

Carrias

Carrias

Fresno de
Río Tirón

Bu-710

Río Tirón

5.0 Belorado

1.6 Espinosa
del Camino

4.8 Tosantos

Tirón River bridge
gas station

N-120

N-120

Albergue
El Salto

← Stage 11

1.1

1.9 Villambistia

Bu-911

Río Urbión

Río Tirón

Marín

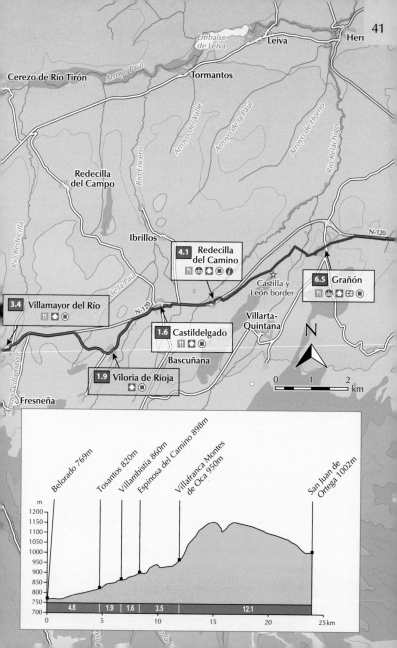

41

Embalse de Leiva

Leiva

Heri

Cerezo de Río Tirón

Arroyo Paul

Tormantos

Arroyo del Valle

Arroyo de la Paul

Arroyo de Horno

Río Relachigo

N-120

Redecilla del Campo

Río Encero

Ibrillos

4.1 Redecilla del Camino

Castilla y León border

6.5 Grañón

Río Redecilla

3.4 Villamayor del Río

de la Paul

N-120

1.6 Castildelgado

Villarta-Quintana

Bascuñana

N

1.9 Viloria de Rioja

0   1   2 km

Arroyo Villamayor

Fresneña

Belorado 769m
Tosantos 820m
Villambistia 860m
Espinosa del Camino 898m
Villafranca Montes de Oca 950m
San Juan de Ortega 1002m

m
1200
1150
1100
1050
1000
950
900
850
800
750
700

0   5   10   15   20   25 km

4.8 | 1.9 | 1.6 | 3.5 | 12.1

Grañón

Church of San Juan Bautista

1 Casa de Las Sonrisas
2 Hospital de Peregrinos
   San Juan Bautista
1 Nuestra Señora de Carrasquedo
1 El Cuartel
1 Cerro de Mirabel

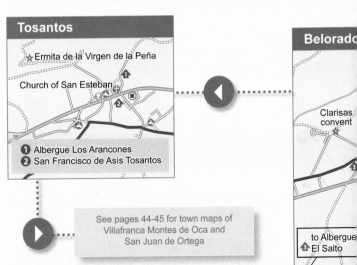

Tosantos

★ Ermita de la Virgen de la Peña

Church of San Esteban

1 Albergue Los Arancones
2 San Francisco de Asís Tosantos

Belorado

Clarisas convent

to Albergue
El Salto

See pages 44-45 for town maps of
Villafranca Montes de Oca and
San Juan de Ortega

scun

Jaxu

Redecilla del Camino

1 Albergue Essentia
2 San Lázaro Redecilla del Camino
1 Hotel Redecilla del Camino

Castildelgado

1 Albergue Bideluze

Church of San Pedro

Bustin

Castillo de
Belorado (ruins)
Church of Santa María

Church of
San Pedro

1 Albergue El Corro
2 Albergue Parroquial de Belorado
3 Cuatro Cantones
1 A Santiago
2 El Caminante
3 Albergue El Salto (off map)

1 Casa Waslala
2 Verdeancho
3 Hotel Belorado
4 Hotel La Huella del Camino

Santa María
del Invierno

Stage 12
Start San Juan de Ortega
Finish Burgos
Distance 26.8km
Duration 7hr

Rodilla

San Juan de Ortega

San Juan de Ortega monastery

San Juan de Ortega church

1 Monasterio de San
   Juan de Ortega
2 El Descanso de San Juan
1 Alojamiento Rural La Henera

Barrios
de Colina

Montes d

12.1 San Juan de Ortega

Río Vena

3.6 Agés

El Oasis food van

← Stage 12

N-120

Bu-820

Bu-82

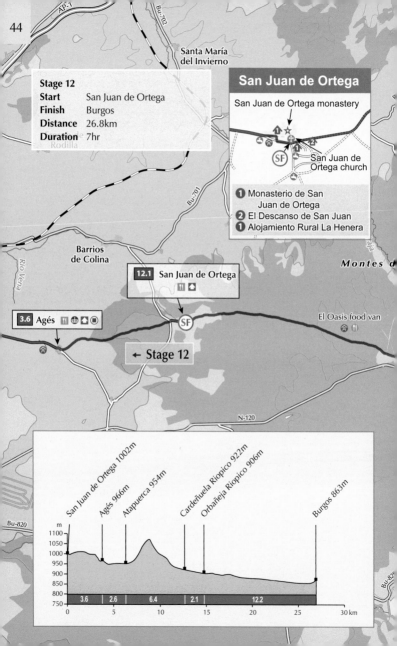

San Juan de Ortega 1002m
Agés 966m
Atapuerca 954m
Cardeñuela Riopico 922m
Orbañeja Riopico 906m
Burgos 863m

3.6	2.6	6.4	2.1	12.2	

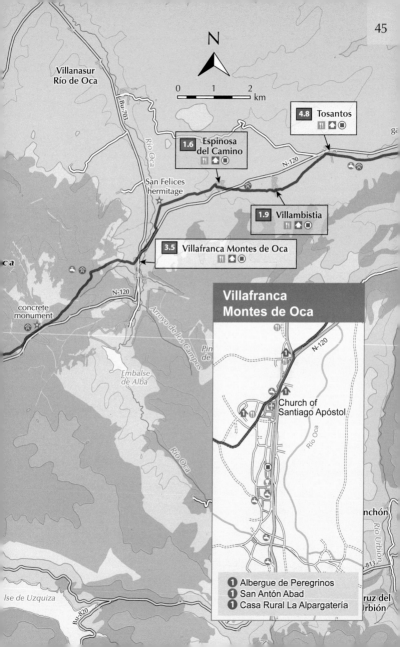

N

0 1 2 km

Villanasur
Río de Oca

Bu-703

Río Oca

4.8 Tosantos

1.6 Espinosa
del Camino

N-120

San Felices
hermitage

1.9 Villambistia

3.5 Villafranca Montes de Oca

N-120

concrete
monument

Arroyo de los Campos

Pin
de

Embalse
de Alba

Río Oca

Ise de Uzquiza

Bu-820

Villafranca
Montes de Oca

N-120

Church of
Santiago Apóstol

Río Oca

nchón

Bu-813

ruz del
Urbión

❶ Albergue de Peregrinos
❶ San Antón Abad
❶ Casa Rural La Alpargatería

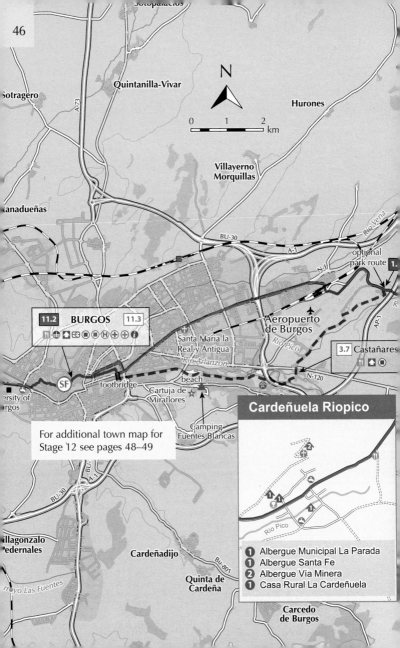

N

0   1   2 km

Sotopalacios

Quintanilla-Vivar

Hurones

Sotragero

A-73

Villayerno Morquillas

anadueñas

BU-30

A-1

N-I

optional park route

1.

AP-1

11.2 BURGOS **11.3**

🍴🏛🏠🚉⊙🛏Ⓗ✛ⓘ

Santa María la Real y Antigua

Aeropuerto de Burgos

Riopico

3.7 Castañares

🍴🏠⊙

SF

footbridge

Río Arlanzón

beach

N-120

Cartuja de Miraflores

Camping Fuentes Blancas

ersity of rgos

BU-30

A-1

For additional town map for Stage 12 see pages 48–49

BU-801

Cardeñuela Riopico

🍴

2

1 **1**

1

Río Pico

❶ Albergue Municipal La Parada
❶ Albergue Santa Fe
❷ Albergue Vía Minera
❶ Casa Rural La Cardeñuela

illagonzalo edernales

Cardeñadijo

Quinta de Cardeña

Carcedo de Burgos

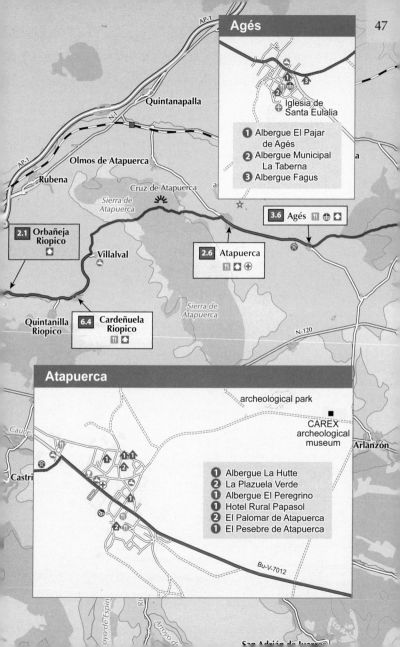

Agés

1. Albergue El Pajar de Agés
2. Albergue Municipal La Taberna
3. Albergue Fagus

Iglesia de Santa Eulalia

Quintanapalla

Olmos de Atapuerca

Rubena

AP-1

N-1

Cruz de Atapuerca

Sierra de Atapuerca

2.1 Orbañeja Riopico

Villalval

2.6 Atapuerca

3.6 Agés

Sierra de Atapuerca

Quintanilla Riopico

6.4 Cardeñuela Riopico

N-120

Atapuerca

archeological park

CAREX archeological museum

Arlanzón

Cauce

Castri

1. Albergue La Hutte
2. La Plazuela Verde
1. Albergue El Peregrino
1. Hotel Rural Papasol
2. El Palomar de Atapuerca
1. El Pesebre de Atapuerca

Bu-V-7012

Arroyo de Espin

San Adrián de Juarros

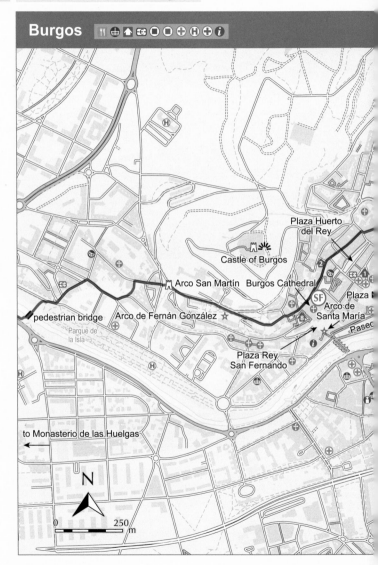

Burgos

Plaza Huerto del Rey

Castle of Burgos

Arco San Martín Burgos Cathedral

pedestrian bridge Arco de Fernán González

Arco de Santa María

Plaza

Paseo

Parque de la Isla

Plaza Rey San Fernando

to Monasterio de las Huelgas

N

0   250
          m

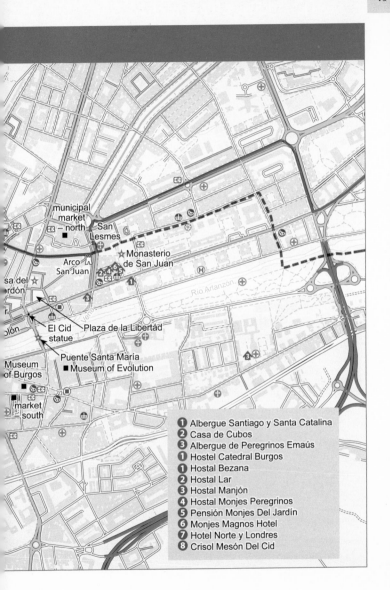

municipal
market
– north

San
Lesmes

Arco
San Juan

Monasterio
de San Juan

❷❹❻
❸❺
❶

Río Arlanzón

sa del
ardón

El Cid
statue

Plaza de la Libertád

lón

Puente Santa María

Museum
of Burgos

Museum of Evolution

market
south

❸

❶ Albergue Santiago y Santa Catalina
❷ Casa de Cubos
❸ Albergue de Peregrinos Emaús
❶ Hostel Catedral Burgos
❶ Hostal Bezana
❷ Hostal Lar
❸ Hostal Manjón
❹ Hostal Monjes Peregrinos
❺ Pensión Monjes Del Jardín
❻ Monjes Magnos Hotel
❼ Hotel Norte y Londres
❽ Crisol Mesón Del Cid

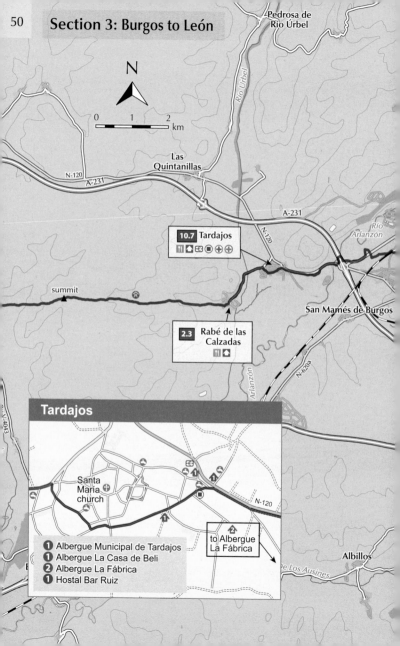

Pedrosa de
Río Úrbel

N

0   1   2
km

Las
Quintanillas

N-120
A-231

A-231

Río
Arlanzón

10.7 Tardajos

N-120

San Mamés de Burgos

summit

2.3 Rabé de las
Calzadas

Arlanzón

N-620a

Tardajos

Santa María
church

N-120

to Albergue
La Fábrica

❶ Albergue Municipal de Tardajos
❶ Albergue La Casa de Beli
❷ Albergue La Fábrica
❶ Hostal Bar Ruiz

Albillos

de Los Ausines

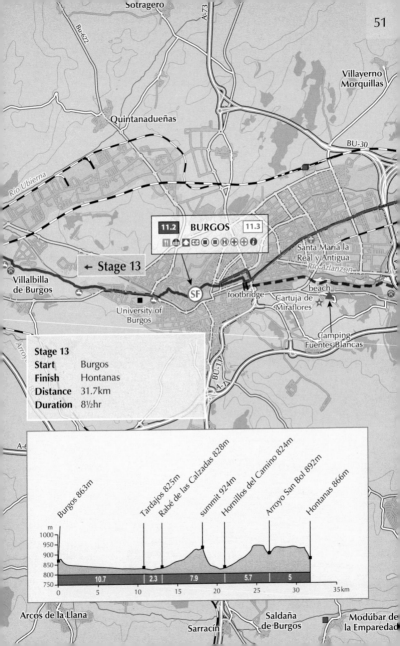

Sotragero

Villayerno
Morquillas

Quintanadueñas

BU-30

Río Ubierna

11.2 BURGOS **11.3**

Santa María la
Real y Antigua
Río Arlanzón

← Stage 13

Villalbilla
de Burgos

SF   footbridge   Cartuja de
Miraflores   beach

University of
Burgos

Camping
Fuentes Blancas

Stage 13
Start   Burgos
Finish   Hontanas
Distance   31.7km
Duration   8½hr

A-6

Burgos 863m

Tardajos 825m
Rabé de las Calzadas 828m

summit 924m

Hornillos del Camino 824m

Arroyo San Bol 892m

Hontanas 866m

m
1000
950
900
850
800
750

| 10.7 | 2.3 | 7.9 | 5.7 | 5 |

0   5   10   15   20   25   30   35km

Arcos de la Llana

Sarracín

Saldaña
de Burgos

Modúbar de
la Emparedad

Stage 14
Start   Hontanas
Finish   Boadilla del Camino
Distance 28.8km
Duration 7¾hr

N

0   1   2
km

Santiago cross
viewpoint

Castellanos de Castro

Albergue
Fuente Sidres

Alberg
San Bo

← Stage 14

5.7

5.0 Hontanas

Iglesias

5.7 Monasterio de San Antón

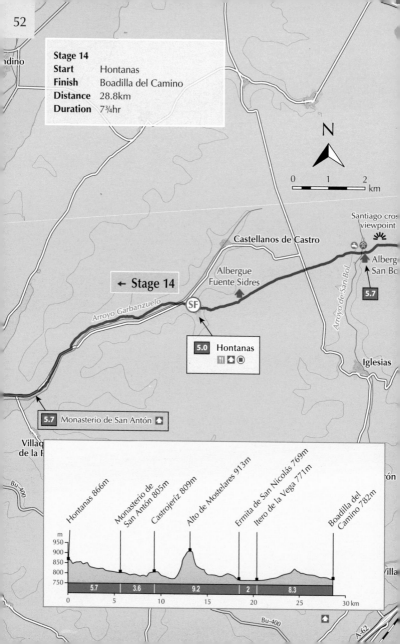

Hontanas 866m
Monasterio de San Antón 805m
Castrojeríz 809m
Alto de Mostelares 913m
Ermita de San Nicolás 769m
Itero de la Vega 771m
Boadilla del Camino 782m

m							
950							
900							
850							
800							
750							

5.7	3.6	9.2	2	8.3

0   5   10   15   20   25   30 km

Rabé de las Calzadas

Santa Marina church

1 Albergue Libéranos Domine
1 Hostal La Fuente de Rabé

Hornillos del Camino

1 Albergue de Hornillos del Camino
2 Albergue El Afar
1 Hornillos Meeting Point
2 La Casa del Abuelo
1 Casa Rural De Sol A Sol

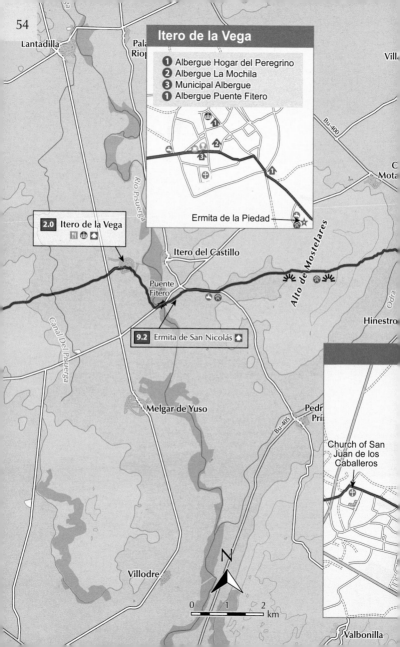

Lantadilla

Pala
Rio

Vill

Itero de la Vega

1 Albergue Hogar del Peregrino
2 Albergue La Mochila
3 Municipal Albergue
1 Albergue Puente Fitero

Ermita de la Piedad

C
Mota

Río Pisuerga

2.0 Itero de la Vega

Itero del Castillo

Alto de Mostelares

Puente
Fitero

Hinestro

Odra

Bu-400

Canal Del Pisuerga

9.2 Ermita de San Nicolás

Melgar de Yuso

Pedr
Prí

Bu-405

Church of San
Juan de los
Caballeros

Villodre

N

0   1   2
km

Valbonilla

Hontanas

SF

1. Albergue Santa Brígida
2. Mesón Albergue El Puntido
3. Albergue Juan de Yepes
4. Hostal Fuentestrella
5. Hotel Villa Fontanas
6. Casa El Descanso

Arroyo Garbanzuelo

Castella

SF

5.0 Hontanas

dios

castle ruins

5.7 Monasterio de San Antón

3.6 Castrojeríz

Villaquirán
de la Puebla

Bu-

Castrojeríz

1. Albergue de Peregrinos Casa Nostra
2. Albergue de San Esteban
3. Albergue Rosalía
4. Albergue Verge de Montserrat
5. Albergue A Cien Leguas
6. Albergue Orión
7. Albergue Ultreia
8. Camping Camino de Santiago
9. Emebed Posada
10. Hostal El Manzano
11. Hostal El Mesón
12. La Posada de Castrojeríz

Collegiate Church of
Santa María del Manzano

Bu-P-4013

Vill
lo

Calle Camarasa

Carretera de Hontañas

Calle del Castillo

Church of
Santo Domingo

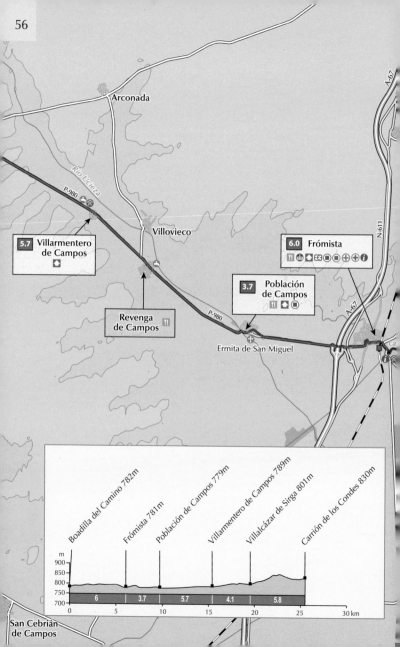

Arconada

Río Ucieza

P-980

5.7 Villarmentero
de Campos

Villovieco

6.0 Frómista

3.7 Población
de Campos

Revenga
de Campos

P-980

Ermita de San Miguel

San Cebrián
de Campos

| Boadilla del Camino 782m | Frómista 781m | Población de Campos 779m | Villarmentero de Campos 789m | Villalcázar de Sirga 801m | Carrión de los Condes 830m |

m					
900					
850					
800					
750					
700					

6	3.7	5.7	4.1	5.8

0   5   10   15   20   25   30 km

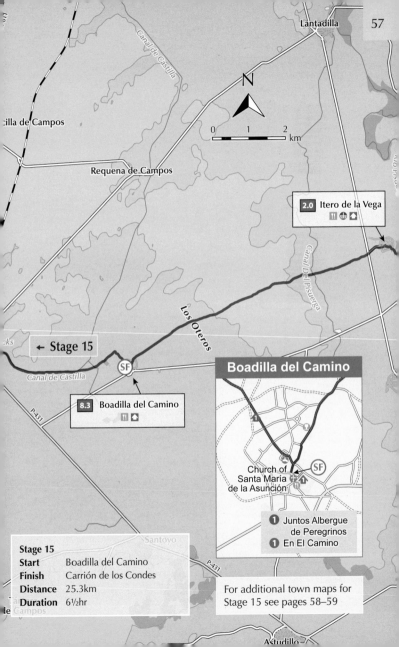

cilla de Campos

Requena de Campos

Canal de Castilla

2.0 Itero de la Vega

Canal Del Pisuerga

Los Oteros

← Stage 15

(SF)

Canal de Castilla

P-431

8.3 Boadilla del Camino

Boadilla del Camino

(SF)

Church of
Santa María
de la Asunción

1 Juntos Albergue
de Peregrinos

1 En El Camino

Santoyo

P-431

Stage 15
Start   Boadilla del Camino
Finish   Carrión de los Condes
Distance 25.3km
Duration 6½hr

For additional town maps for
Stage 15 see pages 58–59

le Campos

Astudillo

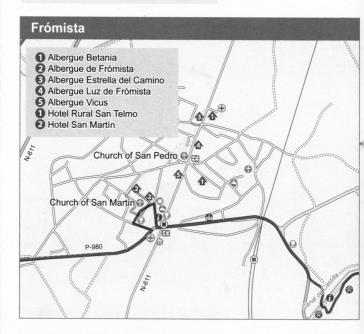

Frómista

1 Albergue Betania
2 Albergue de Frómista
3 Albergue Estrella del Camino
4 Albergue Luz de Frómista
5 Albergue Vicus
1 Hotel Rural San Telmo
2 Hotel San Martín

Church of San Pedro

Church of San Martín

N-611

P-980

Canal de Castilla

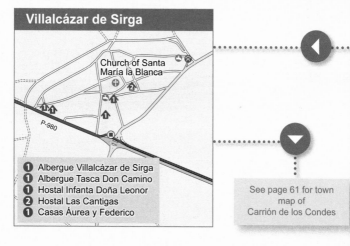

Villalcázar de Sirga

Church of Santa María la Blanca

P-980

1 Albergue Villalcázar de Sirga
1 Albergue Tasca Don Camino
1 Hostal Infanta Doña Leonor
2 Hostal Las Cantigas
1 Casas Áurea y Federico

See page 61 for town map of Carrión de los Condes

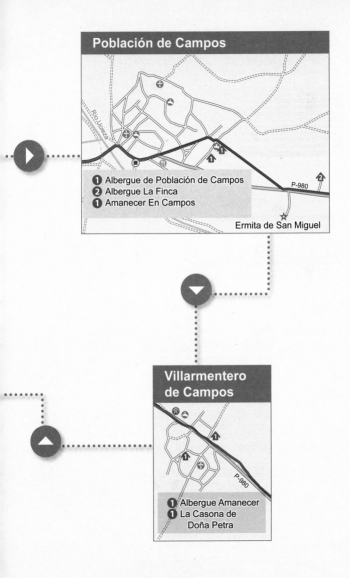

Población de Campos

1 Albergue de Población de Campos
2 Albergue La Finca
1 Amanecer En Campos

Ermita de San Miguel

P-980

Bustince

Villarmentero de Campos

1 Albergue Amanecer
1 La Casona de Doña Petra

P-980

Río Ucieza

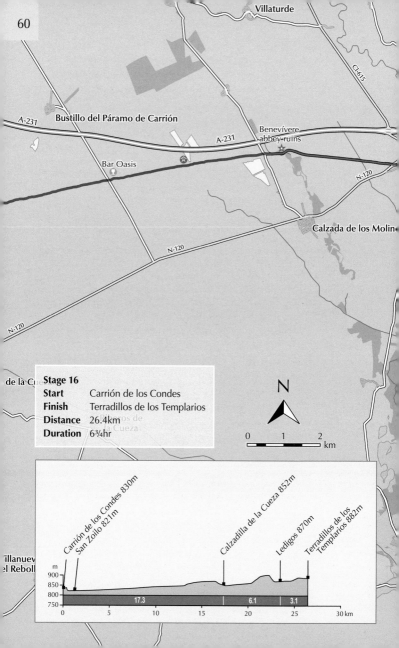

Villaturde

A-231 Bustillo del Páramo de Carrión

A-231

Benevívere abbey ruins

N-120

Bar Oasis

Calzada de los Molin

N-120

N-120

de la Cu

Stage 16
Start Carrión de los Condes
Finish Terradillos de los Templarios
Distance 26.4km
Duration 6¾hr

N

0 1 2 km

os de Cueza

illanuev
el Reboll

A-231

N-120

San Mamés de Campos

A-231

San Zoilo
onastery Hotel

SF

5.8 Carrión de los Condes

Camping
El Edén

← Stage 16

P-980

4.1 Villalcázar de Sirga

Arconada

CI-615

Río Ucieza

5.7 Villarmentero
de Campos

P-980

Revenga
de Campos

V

Carrión de los Condes

Río Carrión

6

Monasterio
San Zoilo

Church of Santiago

SF

Church of Santa
María del Camino

1. Albergue Espíritu Santo
2. Albergue de Sta. María del Camino
1. Monasterio de Santa Clara
1. Nstra. Señora de Belén
2. Hostal Plaza Mayor
3. Hostal Albe
4. Hostal La Corte
5. Hostal Santiago
6. Hotel Real Monasterio San Zoilo

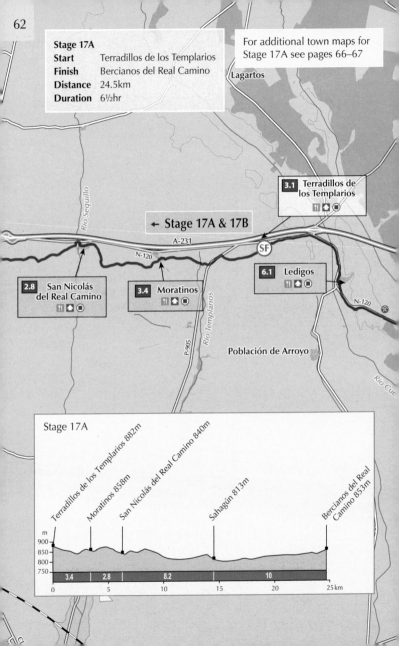

Stage 17A
Start   Terradillos de los Templarios
Finish   Bercianos del Real Camino
Distance 24.5km
Duration 6½hr

For additional town maps for Stage 17A see pages 66–67

Lagartos

Río Sequillo

3.1 Terradillos de los Templarios

← Stage 17A & 17B

A-231

SF

N-120

2.8 San Nicolás del Real Camino

3.4 Moratinos

6.1 Ledigos

N-120

Río Templarios

P-905

Población de Arroyo

Río Cue

Stage 17A

Terradillos de los Templarios 882m
Moratinos 858m
San Nicolás del Real Camino 840m
Sahagún 813m
Bercianos del Real Camino 853m

m
900
850
800
750

| 3.4 | 2.8 | 8.2 | 10 |

0   5   10   15   20   25 km

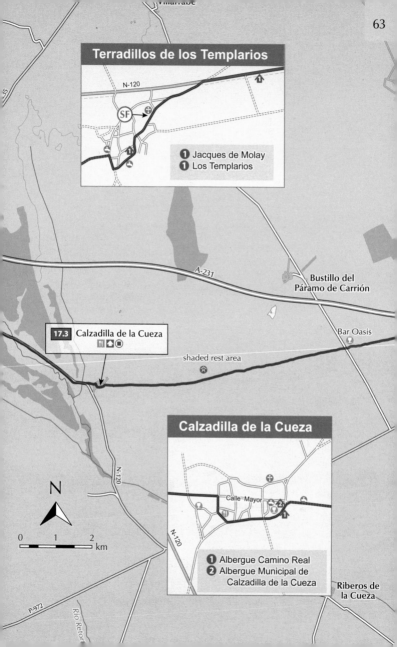

Terradillos de los Templarios

N-120

SF

❶ Jacques de Molay
❶ Los Templarios

A-231

Bustillo del
Páramo de Carrión

Bar Oasis

17.3 Calzadilla de la Cueza

shaded rest area

Calzadilla de la Cueza

Calle Mayor

N-120

❶ Albergue Camino Real
❷ Albergue Municipal de
Calzadilla de la Cueza

Riberos de
la Cueza

N

0   1   2 km

N-120

P-972

Río Retor

Vilarrabé

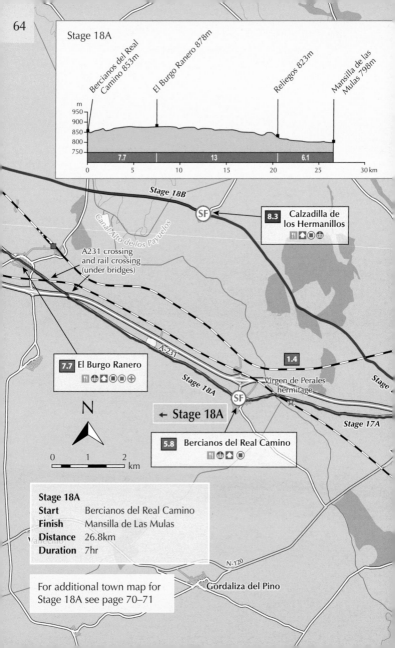

Stage 18A

Bercianos del Real Camino 853m

El Burgo Ranero 878m

Reliegos 823m

Mansilla de las Mulas 798m

7.7 · 13 · 6.1

Stage 18B

SF

8.3 Calzadilla de los Hermanillos

Canal Alto de los Payuelos

A231 crossing and rail crossing (under bridges)

A-231

7.7 El Burgo Ranero

1.4

Virgen de Perales hermitage

N

Stage 18A

SF

← **Stage 18A**

5.8 Bercianos del Real Camino

Stage 17A

0 1 2 km

Stage 18A
Start Bercianos del Real Camino
Finish Mansilla de Las Mulas
Distance 26.8km
Duration 7hr

For additional town map for Stage 18A see page 70–71

N-120

Gordaliza del Pino

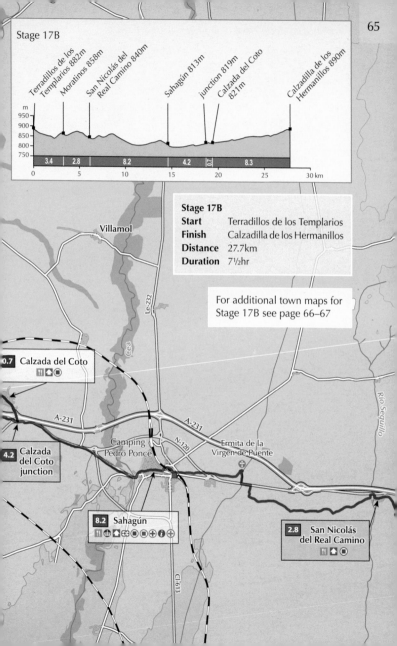

Stage 17B

Terradillos de los Templarios 882m
Moratinos 858m
San Nicolás del Real Camino 840m
Sahagún 813m
junction 819m
Calzada del Coto 821m
Calzadilla de los Hermanillos 890m

| 3.4 | 2.8 | 8.2 | 4.2 | 0.7 | 8.3 |

Stage 17B
Start Terradillos de los Templarios
Finish Calzadilla de los Hermanillos
Distance 27.7km
Duration 7½hr

For additional town maps for Stage 17B see page 66–67

Villamol

0.7 Calzada del Coto

4.2 Calzada del Coto junction

Camping Pedro Ponce

Ermita de la Virgen de Puente

8.2 Sahagún

2.8 San Nicolás del Real Camino

Stage 17B

Calzada del Coto

1 Albergue de Peregrinos San Roque

Church of San Esteban

Stage 17B

Hermitage of San Roque

A-231

option 17A or 17B

highway bridge

Stage 17A

N-120

Church of San Lorenzo

Church of the Holy Trinity

Plaza Mayor

Royal Monastery of San Benito

Arch of San Benito

San Tirso

Madres Benedictinas museum

1 Albergue de Peregrinos Cluny
1 Albergue de la Sta. Cruz
2 Albergue Viatoris
1 Domus Viatoris
2 Hostal Alfonso VI
3 Hostal Escarcha
4 Hostal la Codorniz
5 La Bastide du Chemin

Stage 17A

Bercianos del Real Camino

SF

1 Albergue de Peregrinos
2 Bercianos 1900
1 Albergue La Perala
2 Albergue Santa Clara
1 Hostal Rivero
2 El Sueve

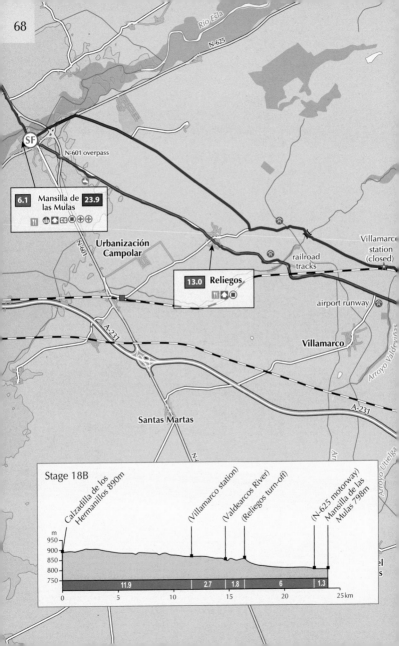

Río Esla

N-625

SF

N-601 overpass

6.1 Mansilla de las Mulas **23.9**

🍴 ⛪ 🏧 🏪 ⊕ ⊕

Urbanización Campolar

N-601

13.0 Reliegos

🍴 🏠 ⊕

Villamarco station (closed)

railroad tracks

airport runway

A-231

Villamarco

Arroyo Valdeviñas

Santas Martas

A-231

N

Arroyo Utielga

Stage 18B

Calzadilla de los
Hermanillos 890m

(Villamarco station)

(Valdearcos River)

(Reliegos turn-off)

(N-625 motorway)
Mansilla de las
Mulas 798m

m
950
900
850
800
750

| 11.9 | 2.7 | 1.8 | 6 | 1.3 |

0   5   10   15   20   25 km

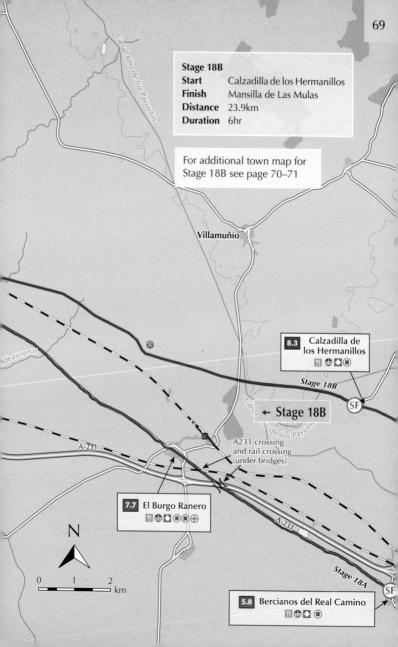

Stage 18B
Start Calzadilla de los Hermanillos
Finish Mansilla de Las Mulas
Distance 23.9km
Duration 6hr

For additional town map for Stage 18B see page 70–71

Villamuñío

8.3 Calzadilla de los Hermanillos

Stage 18B

SF

← **Stage 18B**

A231 crossing and rail crossing (under bridges)

A-231

7.7 El Burgo Ranero

N

0   1   2 km

A-231

Stage 18A

SF

5.8 Bercianos del Real Camino

Calzadilla de los Hermanillos

Stage 18B

1 Albergue San Bartolomé
1 Albergue Vía Trajana
1 Casa el Cura

Mansilla de las Mulas

medieval city walls

Stage 19

Stage 18B

Rio Esla

Church of Santa María

Plaza del Pozo

Stage 18A

1 Albergue Amigos del Peregrino
2 Albergue El Jardín del Camino
3 Albergue Gaia
1 Hostal Albergueria Del Camino
2 La Pensión de Blanca
3 La Casa de los Soportales
1 Casa Rural El Puente

El Burgo Ranero

1 Albergue Domenico Laffi
1 Albergue La Laguna
2 Hospedería Jacobea El Nogal
1 Hostal El Peregrino
1 Hotel Rural Piedras Blancas

Stage 18A

Bustinc

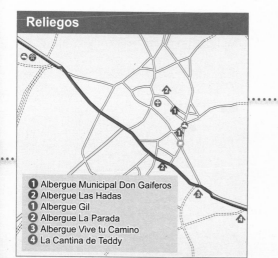

Reliegos

1 Albergue Municipal Don Gaiferos
2 Albergue Las Hadas
1 Albergue Gil
2 Albergue La Parada
3 Albergue Vive tu Camino
4 La Cantina de Teddy

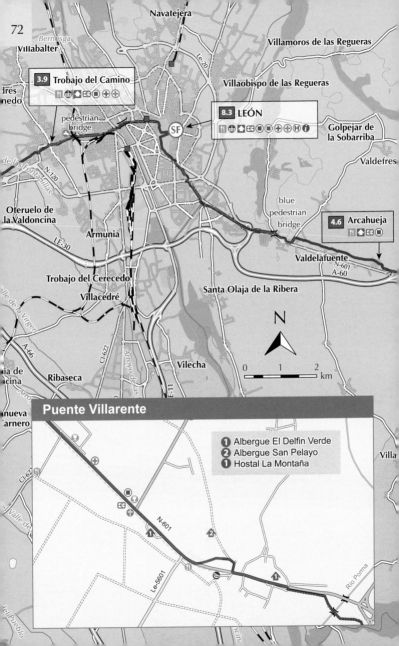

Navatejera

Villamoros de las Regueras

Bernesga

Villabalter

Trés
nedo

3.9 Trobajo del Camino

pedestrian
bridge

Villaobispo de las Regueras

8.3 LEÓN

SF

Golpejar de
la Sobarriba

N-120

de la Fontanilla

Valdefres

Oteruelo de
la Valdoncina

blue pedestrian
bridge

4.6 Arcahueja

LE-30

Armunia

Valdelafuente

N-601
A-60

Trobajo del Cerecedo

Villacedré

Santa Olaja de la Ribera

A-66

N

0   1   2
━━━━━━ km

ía de
cina

Ribaseca

Vilecha

E-11

nueva
arnero

Puente Villarente

CL-62

1 Albergue El Delfín Verde
2 Albergue San Pelayo
1 Hostal La Montaña

Villa

Valle de

N-601

Le-5601

Río Porma

del Pueblo

Mansilla de las Mulas 798m

Puente Villarente 801m

Arcahueja 853m

León 837m

| 6.1 | 4.6 | 8.3 |

For additional town map for
Stage 19 see pages 74–75

Villafañe

Stage 19
Start   Mansilla de las Mulas
Finish   León
Distance   19.1km
Duration   5hr

6.1 Puente Villarente

Villasabariego

⫪ **Villamoros de Mansilla**

Mansilla
Mayor

← **Stage 19**

SF

N-601 overpass

6.1 Mansilla de las Mulas 23.9

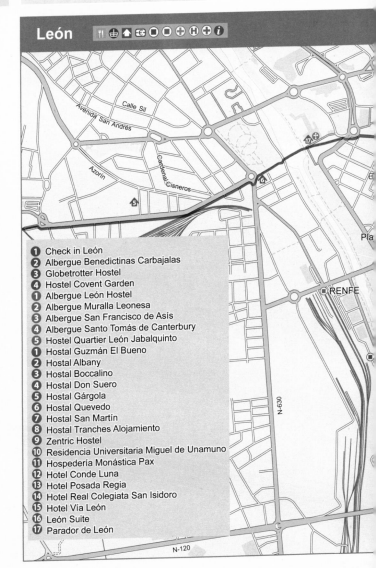

León

1 Check in León
2 Albergue Benedictinas Carbajalas
3 Globetrotter Hostel
4 Hostel Covent Garden
1 Albergue León Hostel
2 Albergue Muralla Leonesa
3 Albergue San Francisco de Asís
4 Albergue Santo Tomás de Canterbury
5 Hostel Quartier León Jabalquinto
1 Hostal Guzmán El Bueno
2 Hostal Albany
3 Hostal Boccalino
4 Hostal Don Suero
5 Hostal Gárgola
6 Hostal Quevedo
7 Hostal San Martín
8 Hostal Tranches Alojamiento
9 Zentric Hostel
10 Residencia Universitaria Miguel de Unamuno
11 Hospedería Monástica Pax
12 Hotel Conde Luna
13 Hotel Posada Regia
14 Hotel Real Colegiata San Isidoro
15 Hotel Vía León
16 León Suite
17 Parador de León

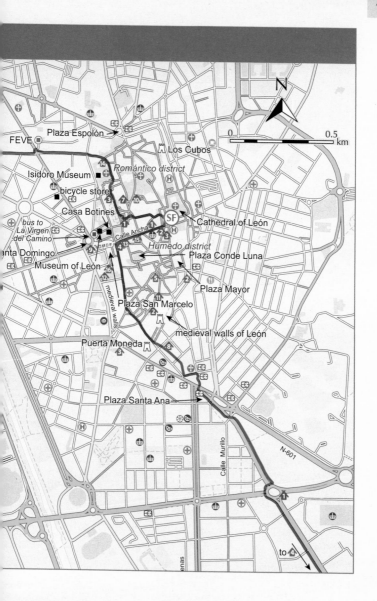

Plaza Espolón

FEVE

Los Cubos

Románico district

Isidoro Museum

bicycle store

Casa Botines

bus to
La Virgen
del Camino

Calle Ancha

Cathedral of León

Húmedo district

anta Domingo

Museum of León

Plaza Conde Luna

Plaza Mayor

Plaza San Marcelo

medieval walls of León

Puerta Moneda

medieval walls

Plaza Santa Ana

Calle Murillo

N-601

to

enas

N

0   0.5
         km

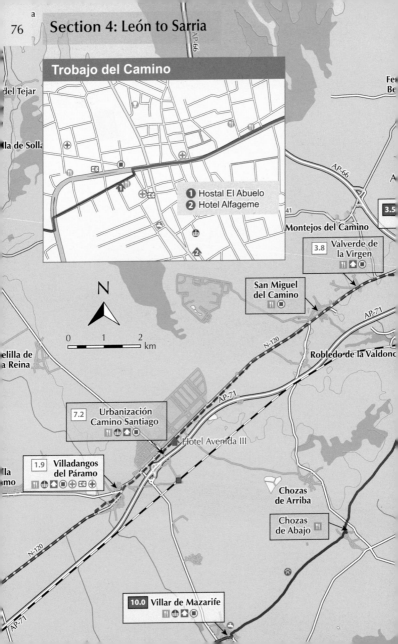

Trobajo del Camino

1 Hostal El Abuelo
2 Hotel Alfageme

del Tejar

lla de Solla

Fe
Be

AP-66

Montejos del Camino

3.5

3.8 Valverde de la Virgen

San Miguel del Camino

AP-71

Robledo de la Valdonc

N-120

elilla de a Reina

N

0   1   2 km

7.2 Urbanización Camino Santiago

Hotel Avenida III

1.9 Villadangos del Páramo

lla mo

Chozas de Arriba

Chozas de Abajo

N-120

AP-71

10.0 Villar de Mazarife

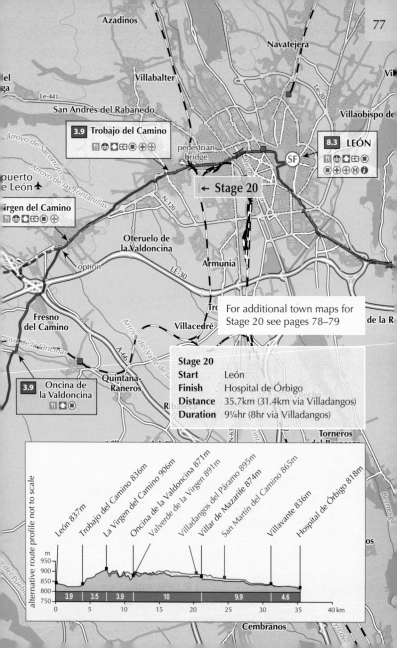

Azadinos

Navatejera

Vi

el
ga

Le-441

Villabalter

Villaobispo de

San Andrés del Rabanedo

3.9 Trobajo del Camino

pedestrian
bridge

8.3 LEÓN

← Stage 20

rgen del Camino

puerto
e León ✈

Oteruelo de
la Valdoncina

LE-30

Armunia

Fresno
del Camino

Villacedré

de la R

For additional town maps for
Stage 20 see pages 78–79

3.9 Oncina de
la Valdoncina

Quintana-
Raneros

Rib

Stage 20	
Start	León
Finish	Hospital de Órbigo
Distance	35.7km (31.4km via Villadangos)
Duration	9¼hr (8hr via Villadangos)

Torneros

Cembranos

alternative route profile not to scale

León 837m · Trobajo del Camino 836m · La Vírgen del Camino 906m · Oncina de la Valdoncina 871m · Valverde de la Vírgen 891m · Villadangos del Páramo 895m · Villar de Mazarife 874m · San Martín del Camino 865m · Villavante 836m · Hospital de Órbigo 818m

| 3.9 | 3.5 | 3.9 | 10 | 9.9 | 4.6 |

La Virgen del Camino

Basilica de la Virgen del Camino

Villadangos route N-120

N-120

1 Albergue Don Antonino y Doña Cinia
1 Hostal Central
2 Hostal Soto
3 Hostal Julio César
4 Hotel Villa Paloma

Hospital de Órbigo

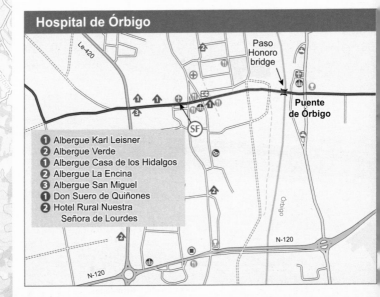

Paso Honoro bridge

Puente de Órbigo

Le-420

SF

Órbigo

N-120

N-120

1 Albergue Karl Leisner
2 Albergue Verde
1 Albergue Casa de los Hidalgos
2 Albergue La Encina
3 Albergue San Miguel
1 Don Suero de Quiñones
2 Hotel Rural Nuestra
    Señora de Lourdes

Villadangos del Páramo

❶ Albergue de Villadangos del Páramo
❶ Hostal Libertad
❶ Camping Camino de Santiago

Camping Camino de Santiago

See page 81 for town map Villar de Mazarife

San Martín del Camino

❶ Albergue La Casa Verde
❷ Albergue Municipal San Martín del Camino
❶ Albergue Santa Ana
❷ Albergue Vieira

Quintanilla
del Monte

La Milla

Hospital de Órbigo 818m
Villares de Órbigo 826m
Santibáñez de Valdeiglesias 846m
San Justo de la Vega 850m
Astorga 874m

m
950
900
850
800
750
700

| 2.6 | 2.7 | 8 | 4.1 |

0   5   10   15   20km

Stage 21
Start   Hospital de Órbigo
Finish   Astorga Cathedral
Distance   17.4km
Duration   4¾hr

Santa Marina
del Rey

d

Benavides de Órbigo

Canal de Vill
Canal del

Órbigo

Ne-420

4.0 San Martín
del Camino

2.6 Villares de Órbigo

Villamor
de Órbigo

4.6 Hospital de Órbigo **7.5**

N-120

La Milla

Puente
de Órbigo

AP-71

← Stage 21

SF

9.9 Villavante

N-120

2.7 Santibáñez de
Valdeiglesias

AP-71

Villarejo
de Órbigo

Acebes del Páramo

Estébanez de la Calzada

CL621

Veguellina de Órbigo

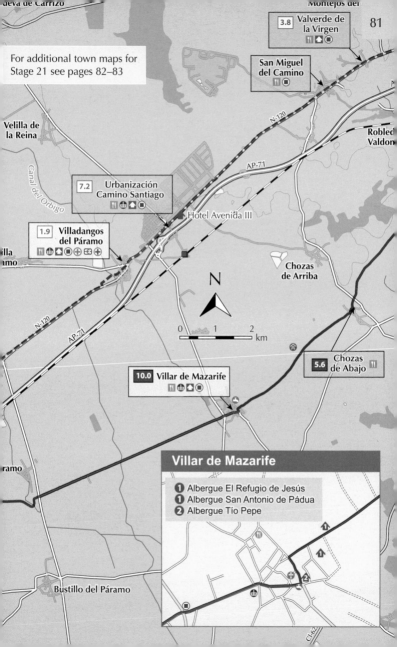

deva de Carrizo

Montejos del

3.8 Valverde de la Virgen

San Miguel del Camino

N-120

For additional town maps for Stage 21 see pages 82–83

Velilla de la Reina

Roblec Valdon

AP-71

Canal del Orbigo

7.2 Urbanización Camino Santiago

Hotel Avenida III

1.9 Villadangos del Páramo

illa amo

Chozas de Arriba

N

0   1   2
km

N-120

AP-71

5.6 Chozas de Abajo

10.0 Villar de Mazarife

ramo

Villar de Mazarife

1 Albergue El Refugio de Jesús
1 Albergue San Antonio de Pádua
2 Albergue Tío Pepe

Bustillo del Páramo

escun

Jaxu

Astorga

sporting goods store

Bishop's Palace and museum

Astorga Cathedral

Santa María church

SF

laundry service

San Esteban church

San Bartholomew church

town hall

Roman ruins

sporting goods store

Plaza España

La Ergástula Roman museum

San Francisco monastery

1 Albergue de Siervas de María
2 Albergue San Javier
1 Albergue Só Por Hoje
1 Hotel Gaudí
2 Hotel Spa Ciudad de Astorga
3 Hotel Vía De La Plata Spa
4 Imprenta Musical Alojamiento
5 Hotel La Peseta
6 Hotel Astur Plaza
1 Posada Real Casa de Tepa

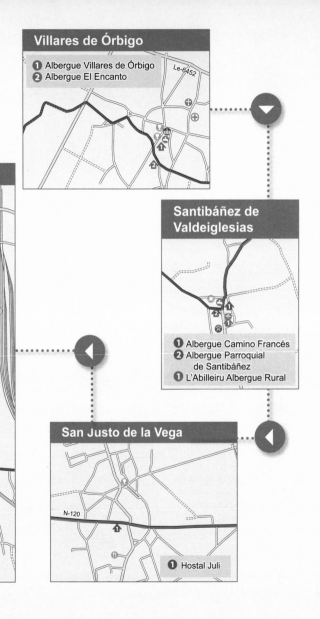

Villares de Órbigo

1 Albergue Villares de Órbigo
2 Albergue El Encanto

Le-6452

Santibáñez de Valdeiglesias

1 Albergue Camino Francés
2 Albergue Parroquial de Santibáñez
1 L'Abilleiru Albergue Rural

San Justo de la Vega

N-120

1 Hostal Juli

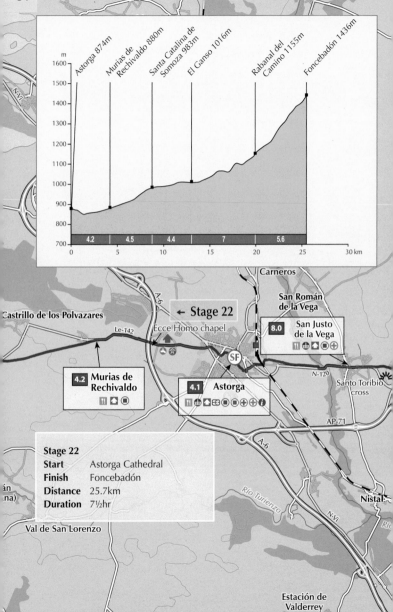

← Stage 22

4.2 Murias de Rechivaldo

4.1 Astorga

8.0 San Justo de la Vega

Ecce Homo chapel

Carneros

San Román de la Vega

Castrillo de los Polvazares

Santo Toribio cross

Val de San Lorenzo

Estación de Valderrey

Nistal

Stage 22
Start   Astorga Cathedral
Finish   Foncebadón
Distance 25.7km
Duration 7½hr

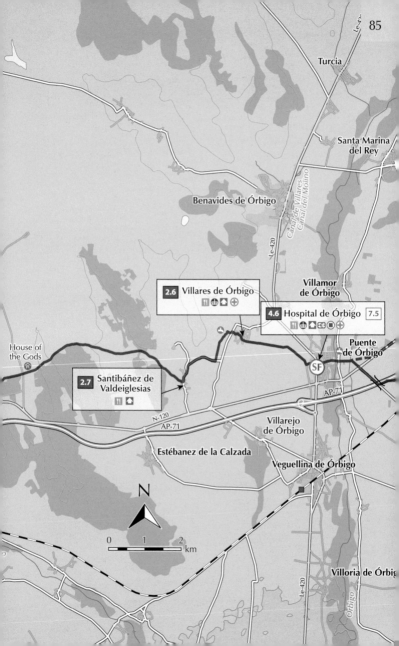

Turcia

Santa Marina del Rey

Benavides de Órbigo

Canal de Villares
Canal del Molino

Le-420

Villamor de Órbigo

2.6 Villares de Órbigo

4.6 Hospital de Órbigo   7.5

Puente de Órbigo

SF

House of the Gods

2.7 Santibáñez de Valdeiglesias

AP-71

N-120   AP-71

Villarejo de Órbigo

Estébanez de la Calzada

Veguellina de Órbigo

N

0   1   2 km

Le-420

Órbigo

Villoria de Órbigo

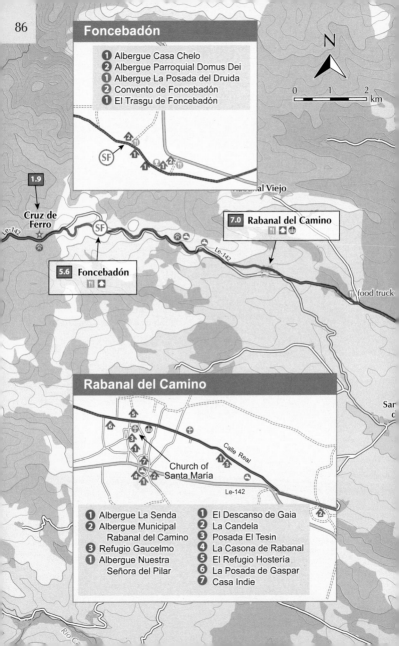

Foncebadón

1 Albergue Casa Chelo
2 Albergue Parroquial Domus Dei
1 Albergue La Posada del Druida
2 Convento de Foncebadón
1 El Trasgu de Foncebadón

N

0   1   2
km

1.9

Cruz de Ferro

Le-142

Rabanal Viejo

7.0 **Rabanal del Camino**

5.6 **Foncebadón**

Le-142

food truck

Rabanal del Camino

Calle Real

Church of Santa María

Le-142

1 Albergue La Senda
2 Albergue Municipal Rabanal del Camino
3 Refugio Gaucelmo
1 Albergue Nuestra Señora del Pilar

1 El Descanso de Gaia
2 La Candela
3 Posada El Tesin
4 La Casona de Rabanal
5 El Refugio Hostería
6 La Posada de Gaspar
7 Casa Indie

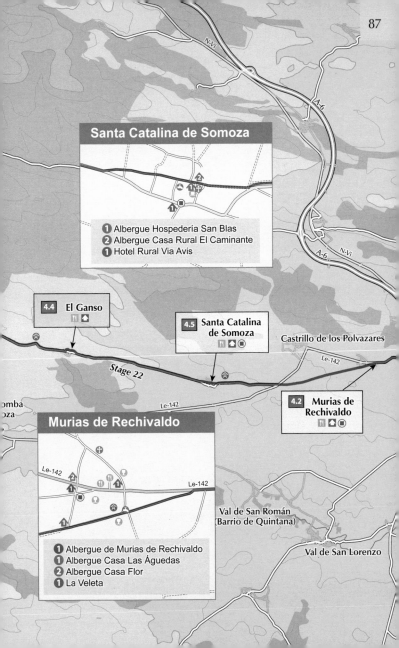

Santa Catalina de Somoza

1 Albergue Hospedería San Blas
2 Albergue Casa Rural El Caminante
1 Hotel Rural Via Avis

4.4 El Ganso

4.5 Santa Catalina de Somoza

Castrillo de los Polvazares

Stage 22

4.2 Murias de Rechivaldo

Murias de Rechivaldo

Le-142

Val de San Román
(Barrio de Quintana)

Val de San Lorenzo

1 Albergue de Murias de Rechivaldo
1 Albergue Casa Las Águedas
2 Albergue Casa Flor
1 La Veleta

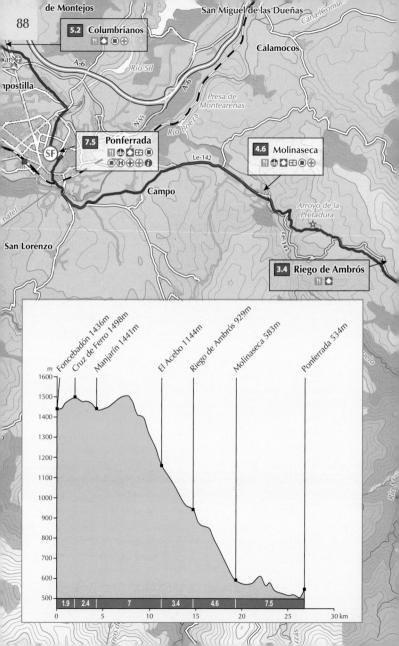

de Montejos

San Miguel de las Dueñas

Calamocos

5.2 Columbrianos

Río Sil

A-6

A-6

Presa de
Montearenas

Río Boeza

7.5 Ponferrada

SF

Le-142

4.6 Molinaseca

Campo

Arroyo de la
Pretadura

natel

San Lorenzo

Le-142

3.4 Riego de Ambrós

Foncebadón 1436m
Cruz de Ferro 1498m
Manjarín 1441m
El Acebo 1144m
Riego de Ambrós 929m
Molinaseca 583m
Ponferrada 534m

| | 1.9 | 2.4 | 7 | 3.4 | 4.6 | 7.5 | |

Molinaseca

Castropodame

1 Albergue Compostela
2 Albergue de Peregrinos San Roque
3 Albergue Señor Oso
1 Albergue Santa Marina

1 Casa Morrosco
2 El Palacio
3 Hostal Casa San Nicolás
4 Hostal El Horno
5 The Way Hostel
6 El Capricho de Josana Molinaseca
7 Hotel Molina Real
8 Hotel Rural Casa Del Reloj
9 Hotel Rural Pajarapinta

Puente de
Molinaseca

San Nicolás de Bari
Sanctuary of Nuestra
Señora de las Angustias

Río Meruelo

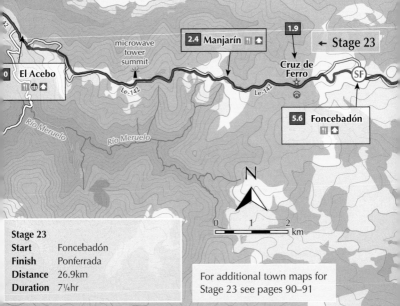

microwave
tower
summit

2.4 Manjarín

1.9

← Stage 23

Cruz de
Ferro

SF

0 El Acebo

Le-142

Le-142

5.6 Foncebadón

Río Meruelo

Río Meruelo

N

0   1   2
km

Stage 23
Start Foncebadón
Finish Ponferrada
Distance 26.9km
Duration 7¼hr

For additional town maps for
Stage 23 see pages 90–91

Additional town maps for Stage 23

See page 89 for town map
of Molinaseca

Ponferrada

El Acebo

1 Albergue Apóstol Santiago
1 La Casa del Peregrino
2 Albergue Mesón El Acebo
1 La Rosa del Agua
2 La Trucha del Arco Iris

escun

Jaxu

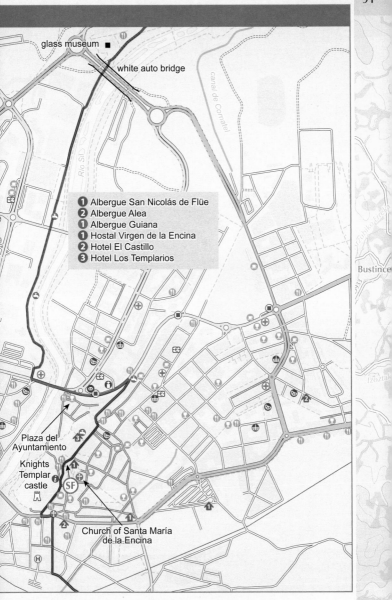

glass museum ■

white auto bridge

canal de Cornatel

Río Sil

1 Albergue San Nicolás de Flüe
2 Albergue Alea
1 Albergue Guiana
1 Hostal Virgen de la Encina
2 Hotel El Castillo
3 Hotel Los Templarios

Bustince

Plaza del Ayuntamiento

Knights Templar castle

SF

Church of Santa María de la Encina

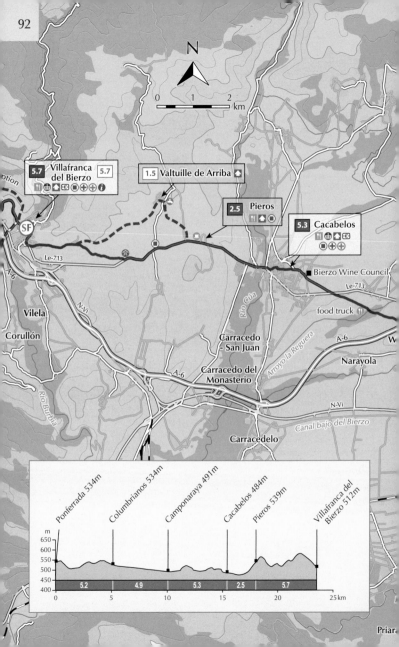

For additional town maps for
Stage 24 see pages 94–95

Stage 24
Start Ponferrada
Finish Villafranca del Bierzo
Distance 23.6km
Duration 6½hr

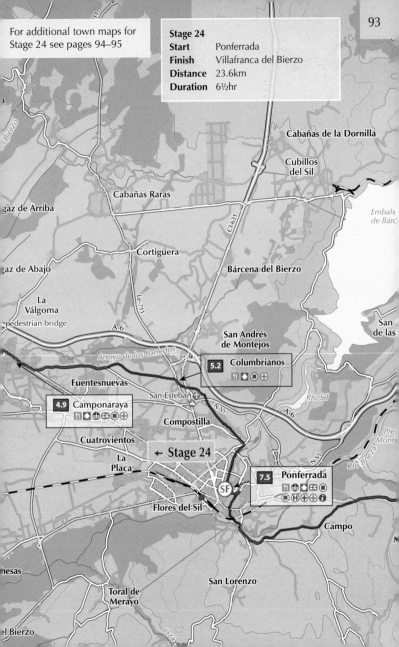

Cabañas de la Dornilla

Cubillos
del Sil

Cabañas Raras

gaz de Arriba

Embals
de Bárc

Cortiguera

Bárcena del Bierzo

gaz de Abajo

La
Válgoma
pedestrian bridge

A-6

Le-711

San Andrés
de Montejos

San
de las

Arroyo de los Barredos

5.2 Columbrianos

Fuentesnuevas

San Esteban

Río Sil

4.9 Camponaraya

Compostilla

N-VI

A-6

Cuatrovientos

← Stage 24

La
Placa

SF

7.5 Ponferrada

Río Boeza

Pre
Mont

Flores del-Sil

Campo

hesas

San Lorenzo

N

Toral de
Merayo

l Bierzo

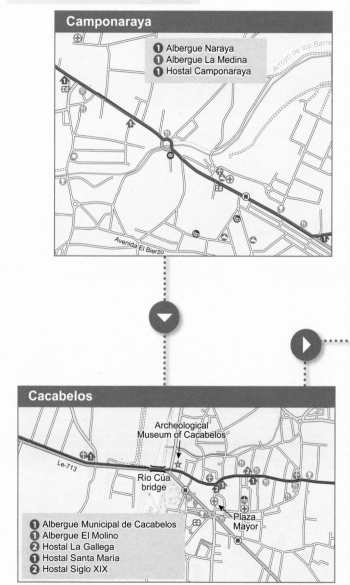

Camponaraya

1 Albergue Naraya
1 Albergue La Medina
1 Hostal Camponaraya

Arroyo de los Barre

Avenida El Bierzo

Cacabelos

Le-713

Archeological
Museum of Cacabelos

Río Cúa
bridge

Plaza
Mayor

1 Albergue Municipal de Cacabelos
1 Albergue El Molino
2 Hostal La Gallega
1 Hostal Santa María
2 Hostal Siglo XIX

Villafranca del Bierzo

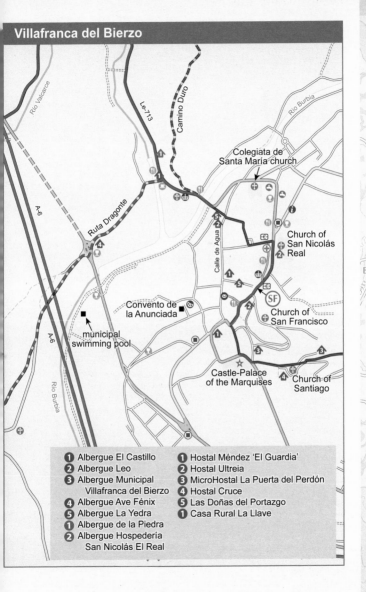

Colegiata de Santa María church

Church of San Nicolás Real

Church of San Francisco

Convento de la Anunciada

municipal swimming pool

Castle-Palace of the Marquises

Church of Santiago

Río Valcarce

Le-713

Camino Duro

Río Burbia

Ruta Dragonte

A-6

Calle de Agua

A-6

Río Burbia

Bustince

1 Albergue El Castillo
2 Albergue Leo
3 Albergue Municipal Villafranca del Bierzo
4 Albergue Ave Fénix
5 Albergue La Yedra
1 Albergue de la Piedra
2 Albergue Hospedería San Nicolás El Real

1 Hostal Méndez 'El Guardia'
2 Hostal Ultreia
3 MicroHostal La Puerta del Perdón
4 Hostal Cruce
5 Las Doñas del Portazgo
1 Casa Rural La Llave

Jaime

Balboa

N

0   1   2 km

3.6 La Faba

SF

2.3 Ruitelán

1.6 Vega de Valcarce

4.1 La Portela de Valcarce

1.3 Las Herrerías **4.5**

Sarracín Castle

1.2 Ambasmestas

4.3 Villasinde

5.0 San Fiz do Seo

2.8 Villar de Corrales

3.6 Moral de Valcarce

Trabadelo

Camino Duro

Río Valcarce

N-VI

A-6

1 Albergue Casa Susi
2 Albergue Crispeta
3 Albergue de Trabadelo
4 Albergue Parroquial de Trabadelo
1 Albergue Camino y Leyenda
1 Hotel Nova Ruta
2 Pensión El Puente Peregrino
1 Casa Rural Os Arroxos
2 Casa Rural Rosalia

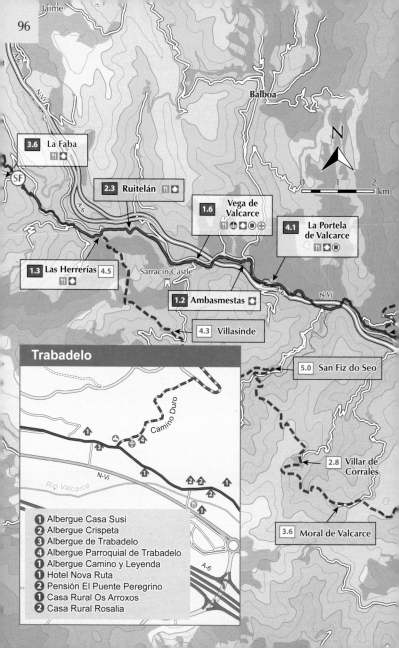

Elevation profile with points labeled:
Villafranca del Bierzo 512m, Dragonte 945m, Pereje 543m, Pradela 925m, Trabadelo 569m, Villar de Corales 963m, San Fiz do Seo 676m, La Portela 600m, Ambasmestas 617m, Villasinde 871m, Vega de Valcarce 628m, Ruitelán 658m, Las Herrerías 668m, La Faba 915m

Distance segments: 5.4 | 4.4 | 4.1 | 1.2 | 1.6 | 2.3 | 1.3 | 3.6

Distance of variants not to scale

Pradela
Albergue Lamas

4.4 Trabadelo **10.9**

5.4 Pereje

Stage 25
Start Villafranca del Bierzo
Finish La Faba
Distance 24.0km
Duration 7¼hr

For additional town maps for
Stage 25 see pages 98–99

Camino Duro option

5.7 Villafranca del Bierzo **5.7**

1.5 Valtuille de Arriba

2.5 Pieros

← Stage 25

Dragonte route

6.0 Dragonte

Le-713

Vilela

Corullón

Carracedo - San Juan

Carracedo del

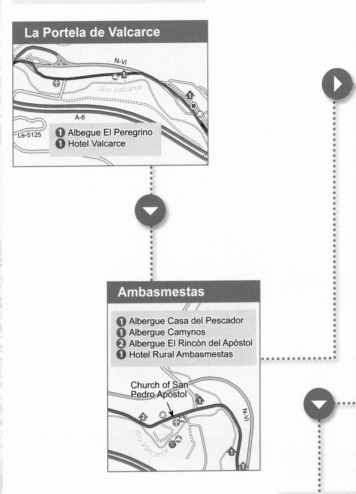

La Portela de Valcarce

N-VI

Rio Valcarce

A-6

Le-5125

1 Albegue El Peregrino
1 Hotel Valcarce

Ambasmestas

1 Albergue Casa del Pescador
1 Albergue Camynos
2 Albergue El Rincón del Apóstol
1 Hotel Rural Ambasmestas

Church of San
Pedro Apóstol

N-VI

Rio Valcarce

See page 101 for town map of La Faba

99

Vega de Valcarce

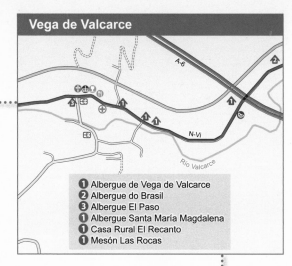

1 Albergue de Vega de Valcarce
2 Albergue do Brasil
3 Albergue El Paso
1 Albergue Santa María Magdalena
1 Casa Rural El Recanto
1 Mesón Las Rocas

Las Herrerías

1 Albergue/Refugio Las Herrerías
1 Albergue Casa Lixa
1 Casa do Ferreiro
2 Casa Polín
3 Hotel Rural El Capricho de Josana
4 Paraíso Del Bierzo

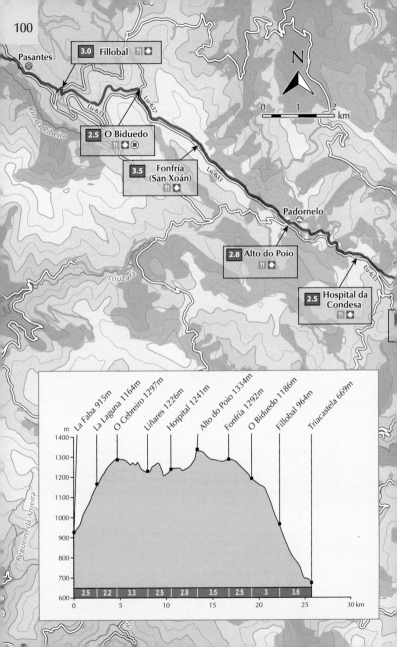

Pasantes

3.0 Fillobal 🍴 🏠

Rio da Ribeira

Lu-633

Lu-637

2.5 O Biduedo 🍴 🏠 Ⓘ

3.5 Fonfría (San Xoán) 🍴 🏠

Lu-633

Louzara

Padornelo

2.8 Alto do Poio 🍴 🏠

Lu-633

2.5 Hospital da Condesa 🍴 🏠

Regueiro da Arrieira

m
1400
1300
1200
1100
1000
900
800
700
600

La Faba 915m
La Laguna 1164m
O Cebreiro 1297m
Liñares 1226m
Hospital 1241m
Alto do Poio 1334m
Fonfría 1292m
O Biduedo 1186m
Fillobal 964m
Triacastela 669m

| 2.5 | 2.2 | 3.3 | 2.5 | 2.8 | 3.5 | 2.5 | 3 | 3.6 |

0   5   10   15   20   25   30 km

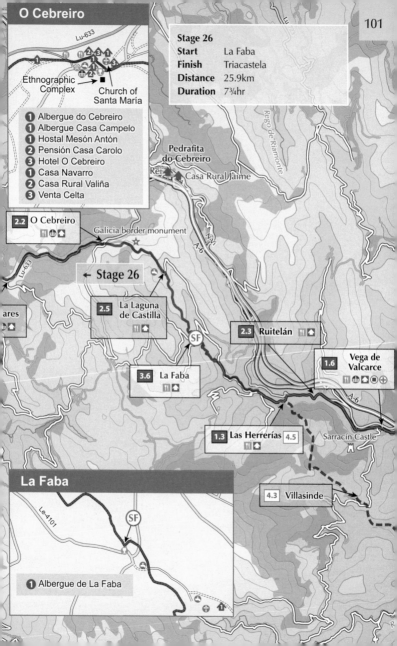

O Cebreiro

Lu-633

Stage 26
Start La Faba
Finish Triacastela
Distance 25.9km
Duration 7¾hr

Ethnographic Complex

Church of Santa María

1 Albergue do Cebreiro
1 Albergue Casa Campelo
1 Hostal Mesón Antón
2 Pensión Casa Carolo
3 Hotel O Cebreiro
1 Casa Navarro
2 Casa Rural Valiña
3 Venta Celta

Rego de Riamonte

Pedrafita do Cebreiro

Rei

Casa Rural Jaime

A-6

N-VI

2.2 O Cebreiro

Galicia border monument

← Stage 26

Lu-633

2.5 La Laguna de Castilla

SF

2.3 Ruitelán

1.6 Vega de Valcarce

ares

3.6 La Faba

A-6

1.3 Las Herrerías 4.5

Sarracín Castle

La Faba

Le-4101

SF

4.3 Villasinde

1 Albergue de La Faba

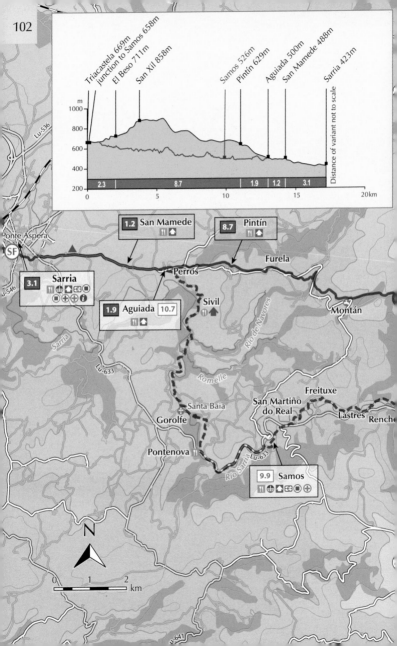

Triacastela 669m
junction to Samos 658m
El Beso 711m
San Xil 858m
Samos 526m
Pintín 629m
Aguiada 500m
San Mamede 488m
Sarria 423m

m
1000
800
600
400
200

Distance of variant not to scale

2.3   8.7   1.9 1.2 3.1

0   5   10   15   20km

1.2 San Mamede

8.7 Pintín

Furela

Ponte Aspera

SF

Perros

3.1 Sarria

Sivil

Montán

1.9 Aguiada 10.7

Río de Navares

Sarria

Lu-633

Romelle

Freituxe

Santa Baia

San Martiño
do Real

Lastres Renche

Gorolfe

Pontenova

Río Sarria LU-633

9.9 Samos

N

0   1   2
km

Lu-536

Lu-546

D-641

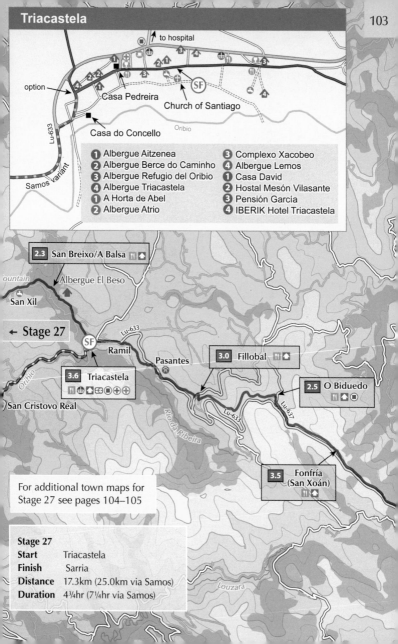

to hospital

option

Casa Pedreira

Church of Santiago

Casa do Concello

Lu-633

Samos variant

Oribio

1 Albergue Aitzenea
2 Albergue Berce do Caminho
3 Albergue Refugio del Oribio
4 Albergue Triacastela
1 A Horta de Abel
2 Albergue Atrio

3 Complexo Xacobeo
4 Albergue Lemos
1 Casa David
2 Hostal Mesón Vilasante
3 Pensión García
4 IBERIK Hotel Triacastela

2.3 San Breixo/A Balsa

Albergue El Beso

San Xil

ountain

← Stage 27

SF

Ramil

Lu-633

Pasantes

3.0 Fillobal

2.5 O Biduedo

3.6 Triacastela

Oribio

San Cristovo Real

Río da Ribeira

Lu-633

Lu-633

3.5 Fonfría
(San Xoán)

For additional town maps for
Stage 27 see pages 104–105

Louzara

Stage 27
Start   Triacastela
Finish   Sarria
Distance 17.3km (25.0km via Samos)
Duration 4¾hr (7¼hr via Samos)

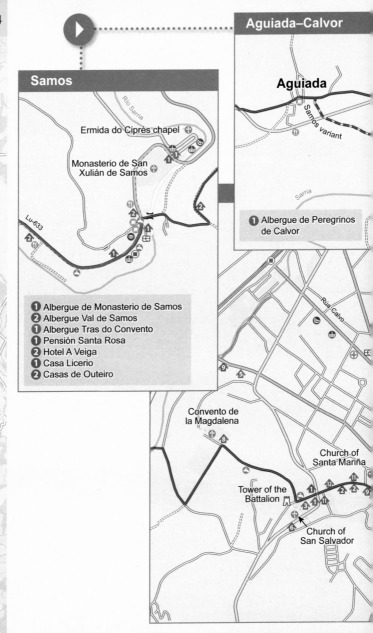

Aguiada–Calvor

Aguiada

1 Albergue de Peregrinos de Calvor

Samos

Ermida do Ciprés chapel

Monasterio de San Xulián de Samos

Lu-633

1 Albergue de Monasterio de Samos
2 Albergue Val de Samos
1 Albergue Tras do Convento
1 Pensión Santa Rosa
2 Hotel A Veiga
1 Casa Licerio
2 Casas de Outeiro

Convento de la Magdalena

Church of Santa Mariña

Tower of the Battalion

Church of San Salvador

Calvor

Lu-P-5602

Additional town maps for
Stage 27

Perros

Sarria

1 Albergue Alma do Camiño
2 Albergue Casa Peltre
3 Albergue Credencial
4 Albergue A Pedra

5 Albergue de Peregrinos de Sarria
6 Albergue Dos Oito Marabedís
7 Albergue Mayor
8 Monasterio de la Magadalena
9 Albergue O Durmiñento
10 Albergue Oasis
11 Albergue Obradoiro
12 Albergue Los Blasones
1 Albergue de Don Álvaro
2 Albergue Internacional Sarria
3 Albergue Matías Locanda
4 Albergue Puente Ribeira
5 Albergue San Lázaro
1 La Posada Hostal
2 Pensión Casa Barán
3 Dp Cristal
4 El Malecón del Peregrino
5 Pensión Aqua Rooms Sarria
6 Pensión Escalinata
7 Pensión Rúa Peregrino
8 Hotel Alfonso IX
9 La Casona de Sarria
10 Pensión Blasones
11 Hotel Novoa
1 Camping Vila de Sarria

Bustince

riverside promenade

to Camping Vila de Sarria

Rio Sarria bridge
(under construction)

bicycle shop

Lu-633

Sarria

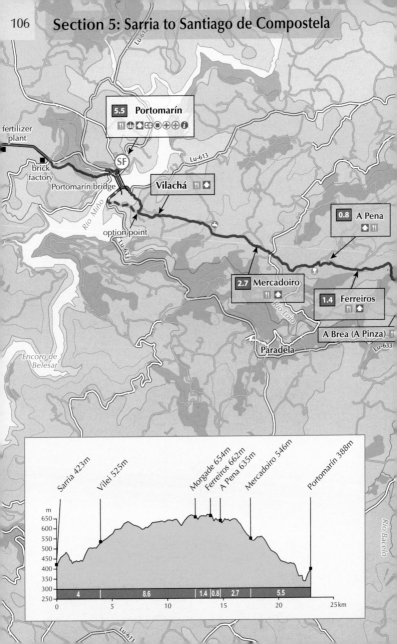

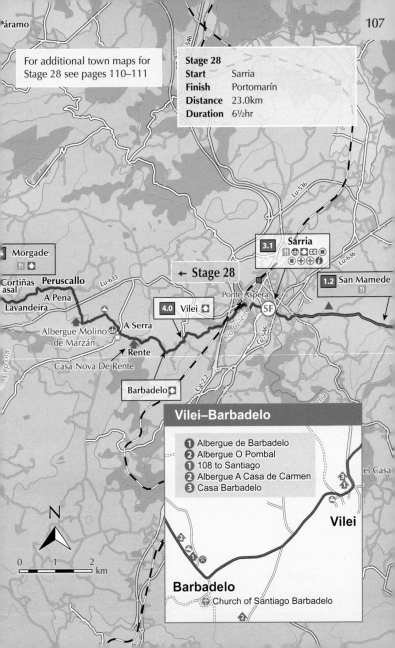

For additional town maps for
Stage 28 see pages 110–111

Stage 28
Start Sarria
Finish Portomarín
Distance 23.0km
Duration 6½hr

Morgade

Cortiñas
asal
Peruscallo
A Pena
Lavandeira

Lu-633

3.1 Sarria

← Stage 28

1.2 San Mamede

4.0 Vilei

Ponte Aspera

SF

A Serra

Albergue Molino
de Marzán

Rente

Casa Nova De Rente

Río da Vra

Río Celeiro

Lu-546

Lu-536

Lu-636

Cç.22

Sarria

Barbadelo

Vilei–Barbadelo

1 Albergue de Barbadelo
2 Albergue O Pombal
1 108 to Santiago
2 Albergue A Casa de Carmen
3 Casa Barbadelo

el Casa

2

3
1

Vilei

N

0   1   2
km

2

Barbadelo

Church of Santiago Barbadelo

2

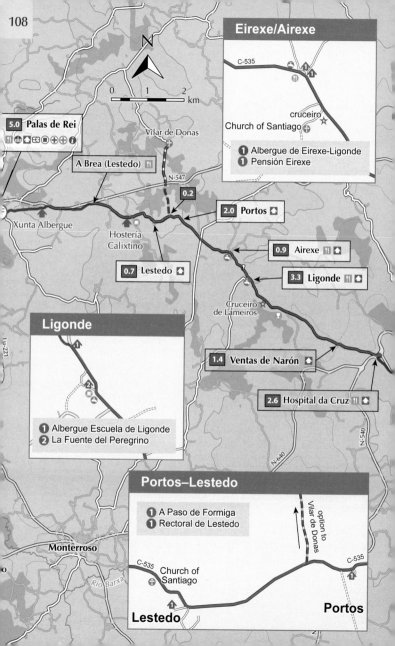

N

0 1 2 km

Eirexe/Airexe

C-535

cruceiro
Church of Santiago

1 Albergue de Eirexe-Ligonde
1 Pensión Eirexe

Vilar de Donas

5.0 Palas de Rei

A Brea (Lestedo)

N-547

Xunta Albergue

0.2

2.0 Portos

Hostería
Calixtino

0.9 Airexe

0.7 Lestedo

3.3 Ligonde

Cruceiro
de Lameiros

Ligonde

1 Albergue Escuela de Ligonde
2 La Fuente del Peregrino

1.4 Ventas de Narón

2.6 Hospital da Cruz

N-640

N-540

LU-221

Portos–Lestedo

1 A Paso de Formiga
1 Rectoral de Lestedo

option to
Vilar de Donas

C-535

Church of
Santiago

C-535

Monterroso

Río Barxa

Lestedo

Portos

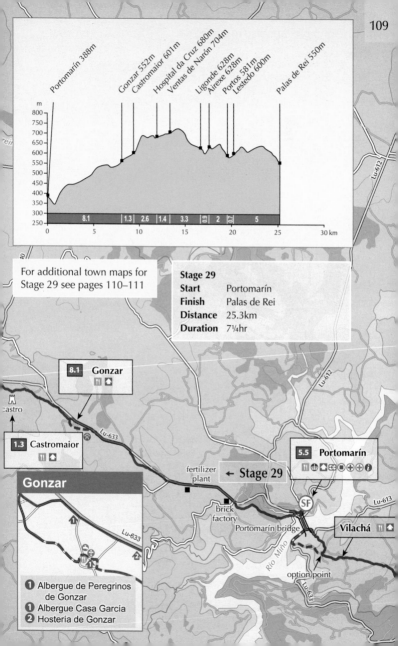

Elevation profile (left to right):
- Portomarín 388m
- Gonzar 552m
- Castromaior 601m
- Hospital da Cruz 680m
- Ventas de Narón 704m
- Ligonde 628m
- Áirexe 628m
- Portos 581m
- Lestedo 600m
- Palas de Rei 550m

Distances between points: 8.1 | 1.3 | 2.6 | 1.4 | 3.3 | 0.9 | 2 | 0.7 | 5

For additional town maps for
Stage 29 see pages 110–111

Stage 29
Start Portomarín
Finish Palas de Rei
Distance 25.3km
Duration 7¼hr

8.1 Gonzar

1.3 Castromaior

5.5 Portomarín

fertilizer plant

← Stage 29

brick factory

Portomarín bridge

Vilachá

Gonzar

Lu-633

❶ Albergue de Peregrinos
   de Gonzar
❶ Albergue Casa García
❷ Hostería de Gonzar

Río Miño

option point

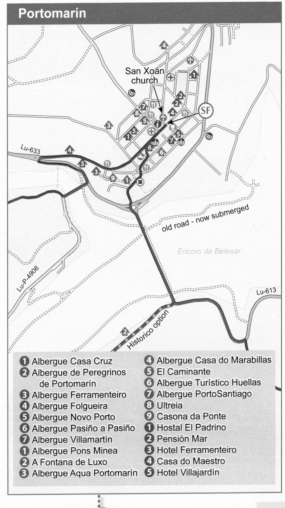

Portomarín

San Xoán church

Lu-633

Jaxu

Lu-P-4906

old road - now submerged

Encoro de Belesar

Lu-613

Historico option

1 Albergue Casa Cruz
2 Albergue de Peregrinos
   de Portomarín
3 Albergue Ferramenteiro
4 Albergue Folgueira
5 Albergue Novo Porto
6 Albergue Pasiño a Pasiño
7 Albergue Villamartín
1 Albergue Pons Minea
2 A Fontana de Luxo
3 Albergue Aqua Portomarín
4 Albergue Casa do Marabillas
5 El Caminante
6 Albergue Turístico Huellas
7 Albergue PortoSantiago
8 Ultreia
9 Casona da Ponte
1 Hostal El Padrino
2 Pensión Mar
3 Hotel Ferramenteiro
4 Casa do Maestro
5 Hotel Villajardín

See page 109
for town map of
Gonzar

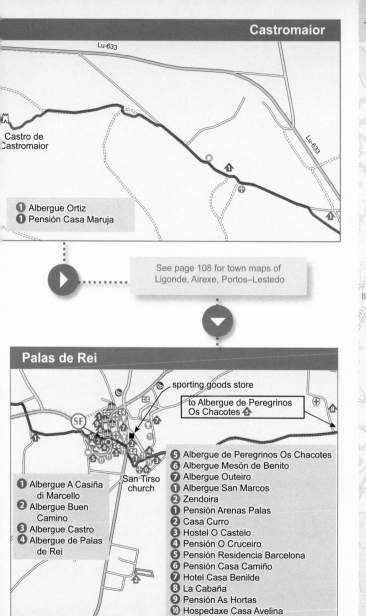

Lu-633

Castro de Castromaior

❶ Albergue Ortiz
❶ Pensión Casa Maruja

See page 108 for town maps of
Ligonde, Airexe, Portos–Lestedo

Palas de Rei

sporting goods store

to Albergue de Peregrinos
Os Chacotes ❺

SF

San Tirso church

❶ Albergue A Casiña di Marcello
❷ Albergue Buen Camino
❸ Albergue Castro
❹ Albergue de Palas de Rei

❺ Albergue de Peregrinos Os Chacotes
❻ Albergue Mesón de Benito
❼ Albergue Outeiro
❶ Albergue San Marcos
❷ Zendoira
❶ Pensión Arenas Palas
❷ Casa Curro
❸ Hostel O Castelo
❹ Pensión O Cruceiro
❺ Pensión Residencia Barcelona
❻ Pensión Casa Camiño
❼ Hotel Casa Benilde
❽ La Cabaña
❾ Pensión As Hortas
❿ Hospedaxe Casa Avelina

Bustinc

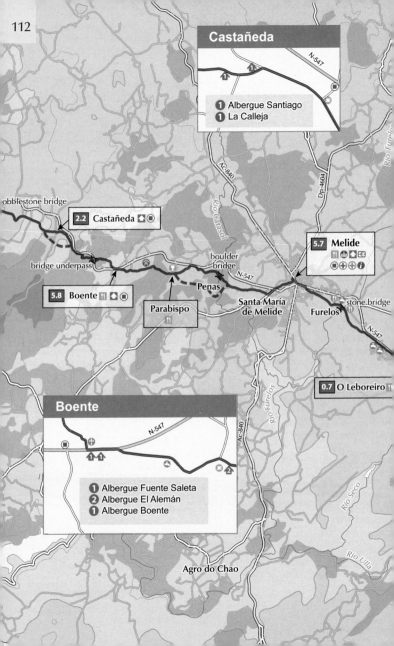

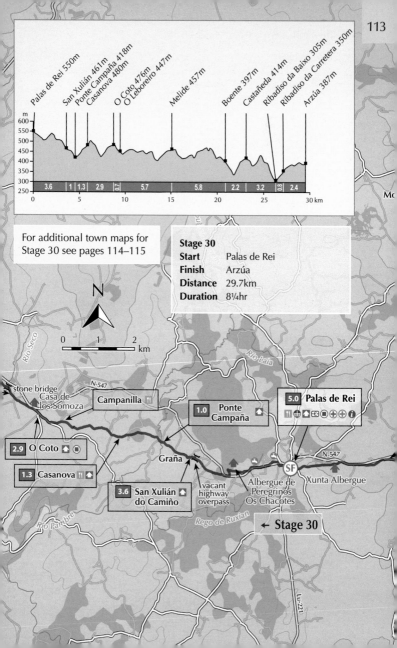

Elevation profile labels:
Palas de Rei 550m | San Xulián 461m | Ponte Campaña 418m | Casanova 480m | O Coto 476m / O Leboreiro 447m | Melide 457m | Boente 397m | Castañeda 414m | Ribadiso da Baixo 305m | Ribadiso da Carretera 350m | Arzúa 387m

Segment distances: 3.6 | 1 | 1.3 | 2.9 | 0.7 | 5.7 | 5.8 | 2.2 | 3.2 | 0.8 | 2.4

For additional town maps for
Stage 30 see pages 114–115

Stage 30
Start   Palas de Rei
Finish   Arzúa
Distance   29.7km
Duration   8¼hr

N

0   1   2
└────┴────┴────┘ km

stone bridge
Casa de
los Somoza

N-547

Campanilla 🍴

1.0 Ponte Campaña 🏠

5.0 Palas de Rei
🍴⊕🏠⊞⊕⊕⊕ⓘ

2.9 O Coto 🏠 ⊡

Graña

1.3 Casanova 🍴🏠

3.6 San Xulián
do Camiño 🏠

vacant
highway
overpass

Albergue de
Peregrinos
Os Chacotes

SF

N-547

Xunta Albergue

Río Pambre

Rego de Ruxian

← Stage 30

Lu-221

Melide

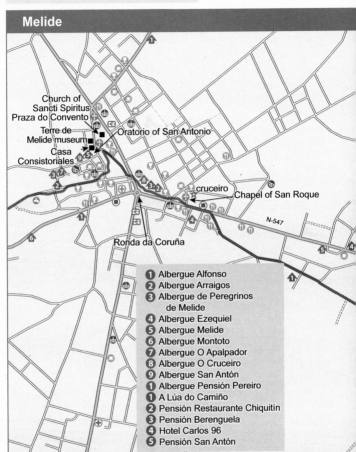

Church of
Sancti Spiritus
Praza do Convento
Terre de
Melide museum
Casa
Consistoriales

Oratorio of San Antonio

cruceiro — Chapel of San Roque

N-547

Ronda da Coruña

1 Albergue Alfonso
2 Albergue Arraigos
3 Albergue de Peregrinos
   de Melide
4 Albergue Ezequiel
5 Albergue Melide
6 Albergue Montoto
7 Albergue O Apalpador
8 Albergue O Cruceiro
9 Albergue San Antón
1 Albergue Pensión Pereiro
1 A Lúa do Camiño
2 Pensión Restaurante Chiquitín
3 Pensión Berenguela
4 Hotel Carlos 96
5 Pensión San Antón

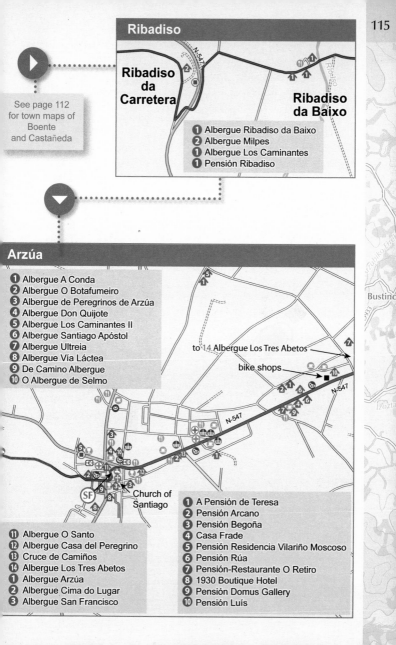

Ribadiso

Ribadiso da Carretera

Ribadiso da Baixo

❶ Albergue Ribadiso da Baixo
❷ Albergue Milpes
❶ Albergue Los Caminantes
❶ Pensión Ribadiso

See page 112 for town maps of Boente and Castañeda

Arzúa

❶ Albergue A Conda
❷ Albergue O Botafumeiro
❸ Albergue de Peregrinos de Arzúa
❹ Albergue Don Quijote
❺ Albergue Los Caminantes II
❻ Albergue Santiago Apóstol
❼ Albergue Ultreia
❽ Albergue Vía Láctea
❾ De Camino Albergue
❿ O Albergue de Selmo

to 14 Albergue Los Tres Abetos

bike shops

N-547

N-547

SF — Church of Santiago

⓫ Albergue O Santo
⓬ Albergue Casa del Peregrino
⓭ Cruce de Camiños
⓮ Albergue Los Tres Abetos
❶ Albergue Arzúa
❷ Albergue Cima do Lugar
❸ Albergue San Francisco

❶ A Pensión de Teresa
❷ Pensión Arcano
❸ Pensión Begoña
❹ Casa Frade
❺ Pensión Residencia Vilariño Moscoso
❻ Pensión Rúa
❼ Pensión-Restaurante O Retiro
❽ 1930 Boutique Hotel
❾ Pensión Domus Gallery
❿ Pensión Luís

Bustinc

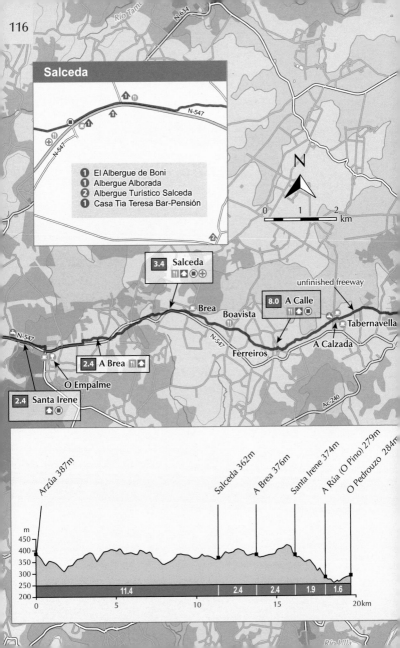

Salceda

1 El Albergue de Boni
1 Albergue Alborada
2 Albergue Turístico Salceda
1 Casa Tia Teresa Bar-Pensión

0   1   2
km

3.4 Salceda

Brea

Boavista

8.0 A Calle

unfinished freeway

Tabernavella

A Calzada

Ferreiros

N-547

2.4 A Brea

O Empalme

2.4 Santa Irene

N-547

Ac-240

Arzúa 387m

Salceda 362m

A Brea 376m

Santa Irene 374m

A Rúa (O Pino) 279m

O Pedrouzo 284m

m
450
400
350
300
250
200

0   5   10   15   20km

11.4   2.4   2.4   1.9   1.6

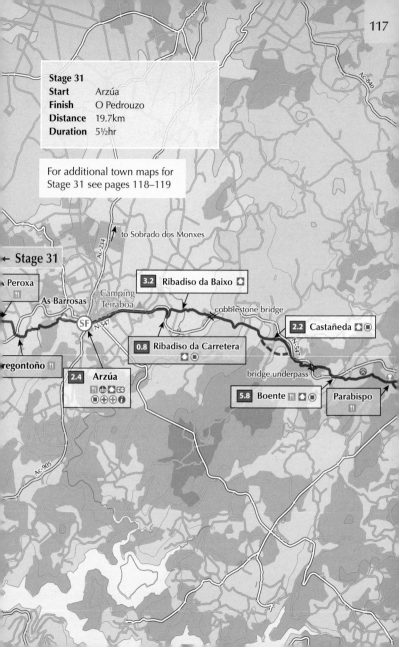

Stage 31
Start Arzúa
Finish O Pedrouzo
Distance 19.7km
Duration 5½hr

For additional town maps for
Stage 31 see pages 118–119

← Stage 31

to Sobrado dos Monxes

Peroxa

As Barrosas

Camping
Teiraboa

3.2 Ribadiso da Baixo

cobblestone bridge

2.2 Castañeda

SF

N-547

0.8 Ribadiso da Carretera

regontoño

2.4 Arzúa

N-547

bridge underpass

5.8 Boente

Parabispo

AC-905

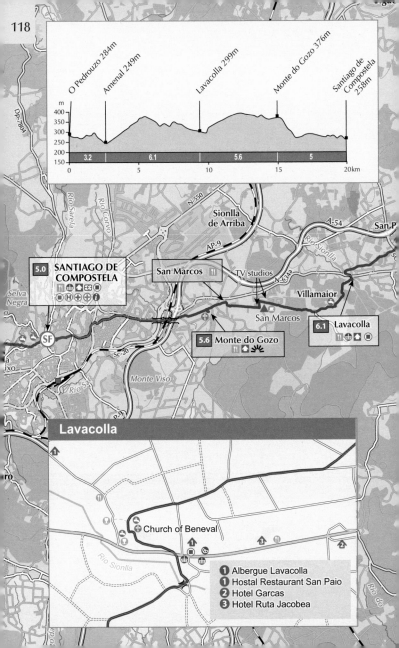

O Pedrouzo 284m — Amenal 249m — Lavacolla 299m — Monte do Gozo 376m — Santiago de Compostela 258m

m
400
350
300
250
200
150

0 — 5 — 10 — 15 — 20km

3.2 6.1 5.6 5

Sionlla de Arriba

N-550

AP-9

A-54

San P

Río Sionlla

San Marcos

TV studios

N-634

Villamaior

5.0 SANTIAGO DE COMPOSTELA

Selva Negra

SF

Sc-20

5.6 Monte do Gozo

San Marcos

Monte Viso

6.1 Lavacolla

Río

AP-9

Lavacolla

ro

Church of Beneval

Río Sionlla

❶ Albergue Lavacolla
❶ Hostal Restaurant San Paio
❷ Hotel Garcas
❸ Hotel Ruta Jacobea

Río

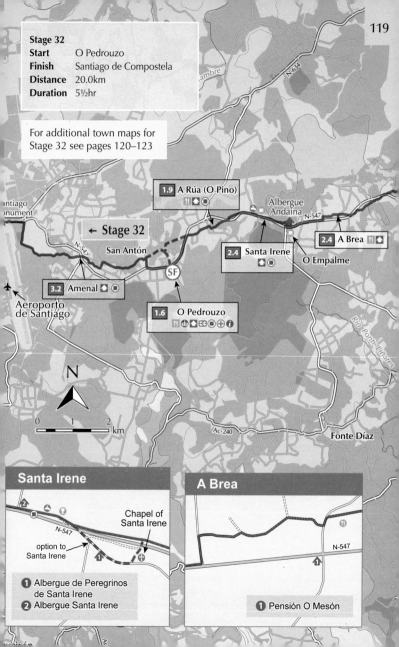

Stage 32
Start O Pedrouzo
Finish Santiago de Compostela
Distance 20.0km
Duration 5½hr

For additional town maps for
Stage 32 see pages 120–123

1.9 A Rúa (O Pino)

Albergue
Andaina

N-634

N-547

Santiago
Monument

← Stage 32

N-547

San Antón

2.4 A Brea

2.4 Santa Irene

O Empalme

SF

3.2 Amenal

Aeroporto
de Santiago

1.6 O Pedrouzo

Río Pontellinares

N

0 1 2 km

Ac-240

Fonte Díaz

Santa Irene

Chapel of
Santa Irene

N-547

option to
Santa Irene

1 Albergue de Peregrinos
de Santa Irene
2 Albergue Santa Irene

A Brea

N-547

1 Pensión O Mesón

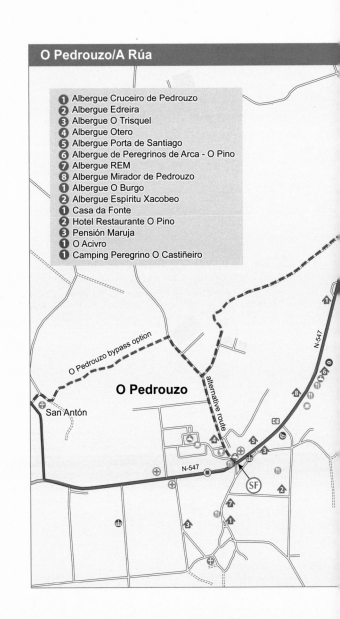

O Pedrouzo/A Rúa

1. Albergue Cruceiro de Pedrouzo
2. Albergue Edreira
3. Albergue O Trisquel
4. Albergue Otero
5. Albergue Porta de Santiago
6. Albergue de Peregrinos de Arca - O Pino
7. Albergue REM
8. Albergue Mirador de Pedrouzo
1. Albergue O Burgo
2. Albergue Espíritu Xacobeo
1. Casa da Fonte
2. Hotel Restaurante O Pino
3. Pensión Maruja
1. O Acivro
1. Camping Peregrino O Castiñeiro

O Pedrouzo bypass option

O Pedrouzo

San Antón

alternative route

N-547

N-547

SF

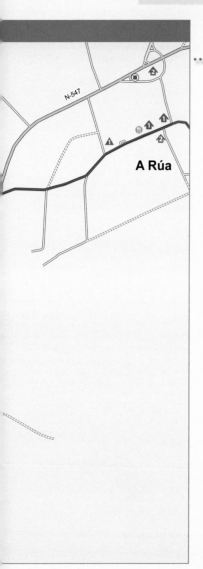

A Rúa

N-547

See page 118 for town map of Lavacolla. Santiago de Compostela see pages 122–123

Bustinc

Santiago de Compostela

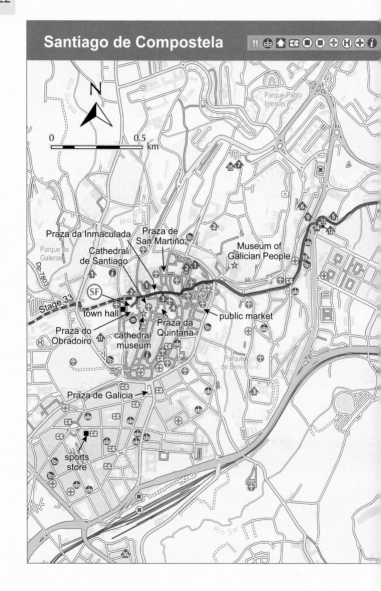

Praza da Inmaculada

Praza de San Martiño

Cathedral de Santiago

Museum of Galician People

town hall

public market

Praza do Obradoiro

cathedral museum

Praza da Quintana

Praza de Galicia

sports store

Stage 33

SF

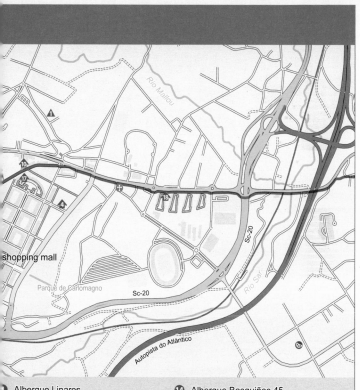

1 Albergue Linares
2 Albergue Alda O Fogar de Teodomiro
3 Albergue Azabache
4 Albergue Fin del Camino
5 Albergue La Credencial
6 Albergue La Estrella de Santiago
7 Albergue Meiga Backpackers
8 Albergue Monterrey
9 Albergue Porta Real
10 Albergue Santo Santiago
11 Mundoalbergue
12 Albergue SIXTOS no Caminho
13 Albergue SCQ

14 Albergue Basquiños 45
15 Albergue Santiago Km0
16 Albergue La Estación
17 Albergue A Fonte de Compostela
18 Albergue Dream in Santiago
19 Albergue Santos
1 Blanco Albergue
2 LoopInn
3 Albergue Seminario Menor La Asunción
4 The Last Stamp
1 Hospedería San Martín Pinario
2 Hostal Reis Católicos
1 Camping As Cancelas

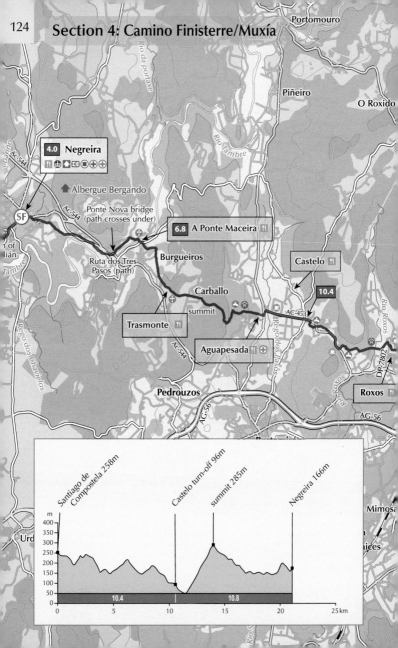

Portomouro

Piñeiro

O Roxido

4.0 Negreira

▲ Albergue Bergando

Ponte Nova bridge
(path crosses under)

6.8 A Ponte Maceira

Burgueiros

Ruta dos Tres
Pasos (path)

Carballo

Castelo

10.4

AC-453

summit

Trasmonte

Aguapesada

Pedrouzos

Roxos

AG-56

Santiago de
Compostela 258m

Castelo turn-off 96m

summit 285m

Negreira 166m

Mimosa

Urd

ices

m					
400					
350					
300					
250					
200					
150					
100					
50			10.4		10.8
0	5	10	15	20	25 km

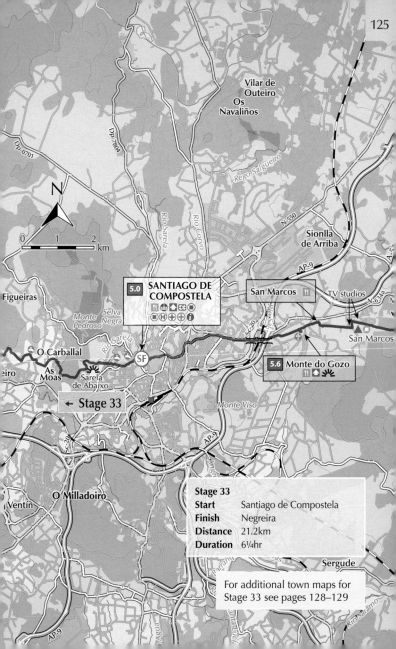

Vilar de
Outeiro
Os
Navaliños

Dp-0701

Dp-7604

Rego Salgueiro

Rio Sarela

Rio Corvo

N-550

Sionlla
de Arriba

A-5

AP-9

5.0 SANTIAGO DE
COMPOSTELA

San Marcos

TV studios

N-634a

San Marcos

Figueiras

Selva Negra

Monte
Pedroso

SC-20

Descanso

5.6 Monte do Gozo

Rio Sarela

O Carballal

As
Moas

Sarela
de Abaixo

SF

← Stage 33

Monte Viso

SC-20

AP-9

O Milladoiro

Ventín

Rio Paraño

Stage 33
Start   Santiago de Compostela
Finish   Negreira
Distance 21.2km
Duration 6¼hr

Sergude

For additional town maps for
Stage 33 see pages 128–129

AP-9

Rio Sarandón

Rio Sarímo

Ac-441

A Pereira

N

Ac-400

0   1   2
km

Ac-546

kout

Gueima

As Maroñas

Vilar do Castro

Bom Xesús

Lamelas

8.3 Santa Mariña 🍴 🏠

DP-5604

4.6 Vilaserío 🍴 🏠 ◉

Pesadoira

Ac-400

log bri

no do Val

Río Tines

o do Val

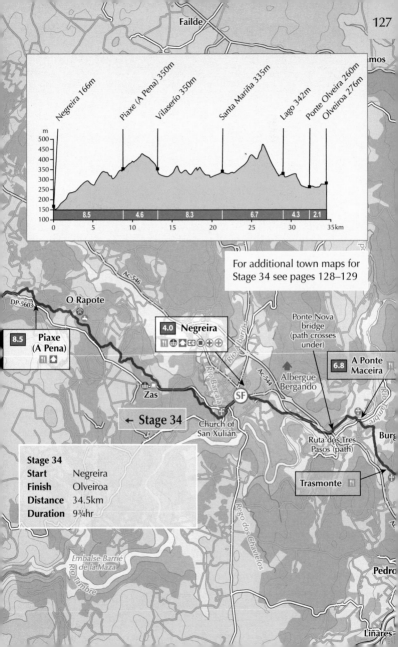

Failde

Negreira 166m

Piaxe (A Pena) 350m

Vilaserío 350m

Santa Mariña 335m

Lago 342m

Ponte Olveira 260m
Olveiroa 276m

m						
500						
450						
400						
350						
300						
250						
200						
150						
100						

| 8.5 | 4.6 | 8.3 | 6.7 | 4.3 | 2.1 |

0   5   10   15   20   25   30   35km

For additional town maps for
Stage 34 see pages 128–129

Ac-546

DP-5603

O Rapote

8.5 **Piaxe (A Pena)**

Zas

4.0 **Negreira**

Ponte Nova
bridge
(path crosses
under)

6.8 **A Ponte Maceira**

Albergue
Bergando

Río Barcala

Río Albariño

Ac-544

SF

← Stage 34

Church of
San Xulián

Ruta dos Tres
Pasos (path)

Burg

Trasmonte

Stage 34
Start Negreira
Finish Olveiroa
Distance 34.5km
Duration 9¾hr

Rego dos Chavelos

Embalse Barrié
de la Maza
Río Tambre

Pedro

Liñares

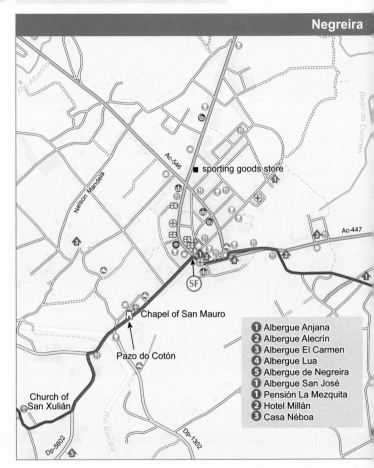

Negreira

sporting goods store

Ac-546

Nelson Mandela

Ac-447

SF

Chapel of San Mauro

Pazo do Cotón

Church of San Xulián

Río Barcala

Dp-5602

Dp-1302

Río Albariño

Rego de Duomes

1 Albergue Anjana
2 Albergue Alecrín
3 Albergue El Carmen
4 Albergue Lua
5 Albergue de Negreira
1 Albergue San José
1 Pensión La Mezquita
2 Hotel Millán
3 Casa Néboa

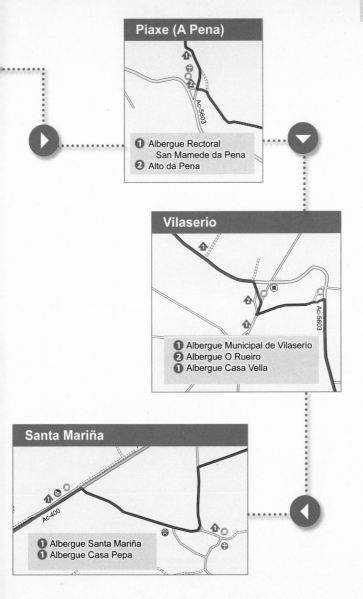

Piaxe (A Pena)

1 Albergue Rectoral
   San Mamede da Pena
2 Alto da Pena

Vilaserío

1 Albergue Municipal de Vilaserío
2 Albergue O Rueiro
1 Albergue Casa Vella

Santa Mariña

1 Albergue Santa Mariña
1 Albergue Casa Pepa

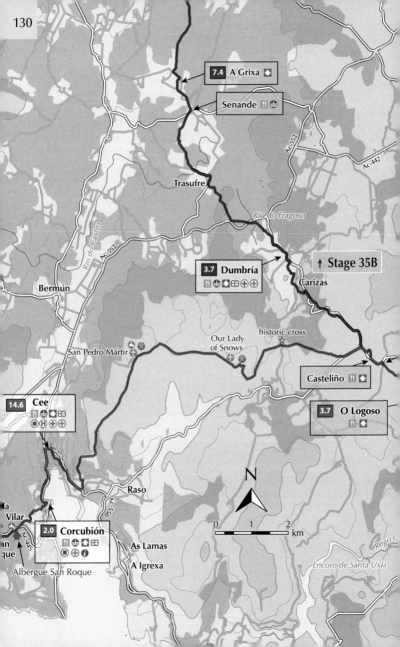

7.4 A Grixa

Senande

Trasufre

Rio do Fragoso

3.7 Dumbría

↑ **Stage 35B**

Carizas

Rio do Castro

AC-552

AC-442

Bermún

historic cross

San Pedro Mártir

Our Lady of Snows

Casteliño

14.6 Cee

3.7 O Logoso

N

0   1   2 km

Raso

As Lamas

A Igrexa

a Vilar

2.0 Corcubión

Albergue San Roque

AC-445

Encoro de Santa Uxía

Rego C

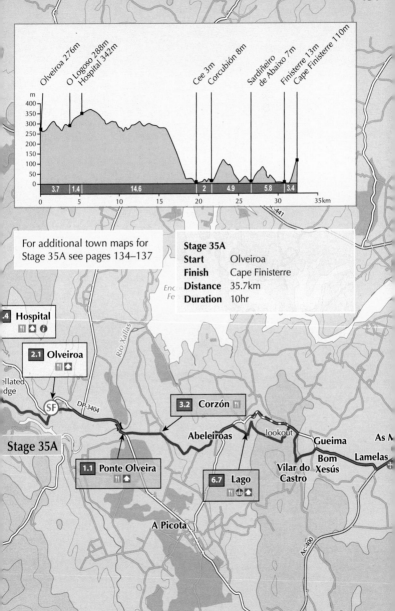

For additional town maps for
Stage 35A see pages 134–137

Stage 35A
Start Olveiroa
Finish Cape Finisterre
Distance 35.7km
Duration 10hr

.4 Hospital

2.1 Olveiroa

3.2 Corzón

Abeleiroas

lookout

Gueima

As M

Stage 35A

1.1 Ponte Olveira

6.7 Lago

Vilar do Castro

Bom Xesús

Lamelas

A Picota

Olveiroa 276m
O Logoso 288m
Hospital 342m
Cee 3m
Corcubión 8m
Sardiñeiro de Abaixo 7m
Finisterre 13m
Cape Finisterre 110m

Nemiña Beach

⊕ Frixe

Río Castro bridge

14.0 Lires 🏠 🍴

Bermún

beach walk option

Canosa

San Pedro M

N

0   1   2
━━━━━━━━━ km

Rostro Beach

14.6 Cee
🍴 ⊕ 🏠 🔄
🛏 ⊕ ⊕ ⊕

Castrexe

CR-1.4

Buxán

4.9 Sardiñeiro
🍴 ⊕ 🏠

Estorda

Vilar

Arnela Beach

Stage 36

Hormedesuxo

Amarela

San Roque

2.0 Corcubión
🍴 ⊕ 🏠 🔄
🛏 ⊕ 🛈

Hotel Bela Fisterra

Ac-445

Talón Beach

Albergue San Roque

First monument

Stage 35A

5.8 Finisterre **14.0**
🍴 ⊕ 🏠 🔄 🛏 ⊕ ⊕ 🛈

Mar de Fora Beach

SF

Vilar Vello ▲

Stage 35A

3.4 Cape Finisterre 🏠 🍴

Ⓕ

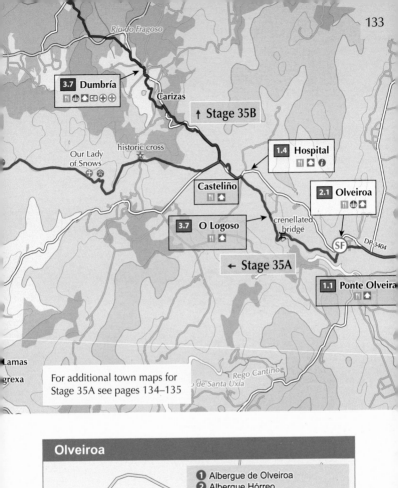

3.7 Dumbría

Carizas

↑ Stage 35B

historic cross

Our Lady of Snows

1.4 Hospital

2.1 Olveiroa

Casteliño

crenellated bridge

3.7 O Logoso

← Stage 35A

SF

DP-3404

1.1 Ponte Olveira

Lamas

grexa

Rego Cantiño

de Santa Uxía

For additional town maps for Stage 35A see pages 134–135

Olveiroa

AC-3404

SF

❶ Albergue de Olveiroa
❷ Albergue Hórreo
❸ Albergue O Peregrino
❹ Albergue Santa Lucía de Olveiroa
❶ Albergue Casa Manola
❶ Pensión Casa do Loncho
❷ Pensión As Pías

✚ Santiago de Olveiroa

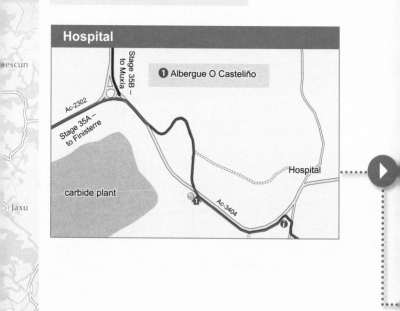

Hospital

- Ac-2302
- Stage 35B – to Muxía
- Stage 35A – to Finisterre
- **1** Albergue O Casteliño
- carbide plant
- Hospital
- Ac-3404

Sardiñeiro

- **1** Hostal Playa de Sardiñeiro
- **2** Hotel Playa de Estorde
- **3** Hotel Merendero
- **1** Camping Ruta Finisterre

Estorde Beach

Sardiñeiro Beach

to Hotel Merendero

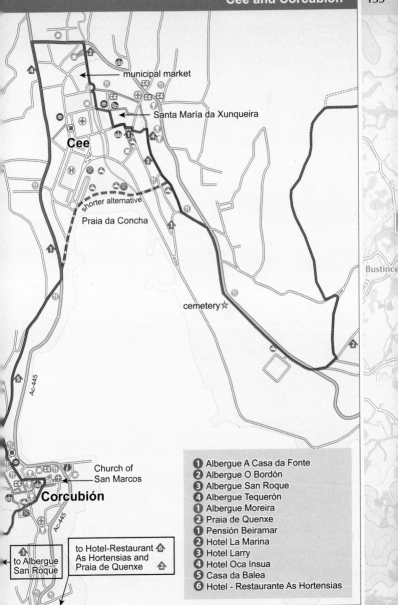

municipal market

Santa María da Xunqueira

Cee

shorter alternative

Praia da Concha

cemetery ☆

Corcubión

Church of
San Marcos

to Albergue
San Roque

to Hotel-Restaurant
As Hortensias and
Praia de Quenxe

1 Albergue A Casa da Fonte
2 Albergue O Bordón
3 Albergue San Roque
4 Albergue Tequerón
1 Albergue Moreira
2 Praia de Quenxe
1 Pensión Beiramar
2 Hotel La Marina
3 Hotel Larry
4 Hotel Oca Insua
5 Casa da Balea
6 Hotel - Restaurante As Hortensias

Bustince

Finisterre

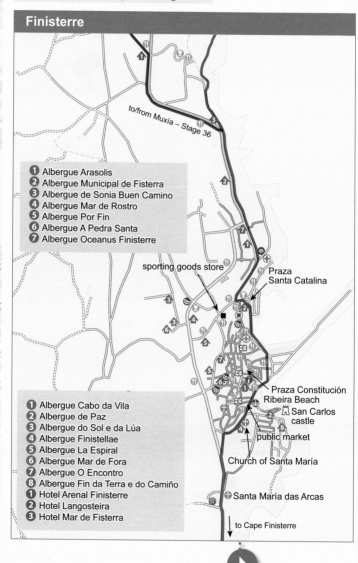

❶ Albergue Arasolis
❷ Albergue Municipal de Fisterra
❸ Albergue de Sonia Buen Camino
❹ Albergue Mar de Rostro
❺ Albergue Por Fin
❻ Albergue A Pedra Santa
❼ Albergue Oceanus Finisterre

sporting goods store

Praza Santa Catalina

❶ Albergue Cabo da Vila
❷ Albergue de Paz
❸ Albergue do Sol e da Lúa
❹ Albergue Finistellae
❺ Albergue La Espiral
❻ Albergue Mar de Fora
❼ Albergue O Encontro
❽ Albergue Fin da Terra e do Camiño
❶ Hotel Arenal Finisterre
❷ Hotel Langosteira
❸ Hotel Mar de Fisterra

to/from Muxía – Stage 36

Praza Constitución
Ribeira Beach
San Carlos castle
public market
Church of Santa María

Santa María das Arcas

to Cape Finisterre

Cape Finisterre

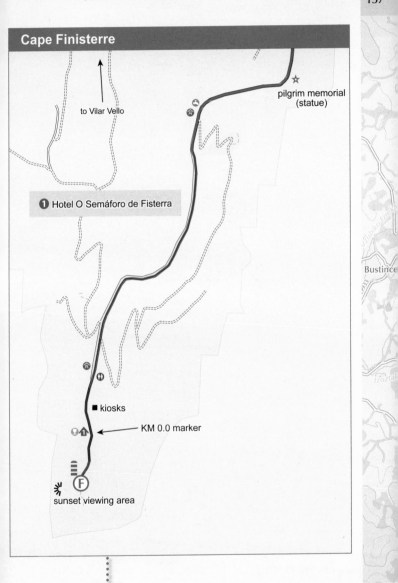

to Vilar Vello

pilgrim memorial
(statue)

1 Hotel O Semáforo de Fisterra

■ kiosks

← KM 0.0 marker

(F)

※ sunset viewing area

Bustince

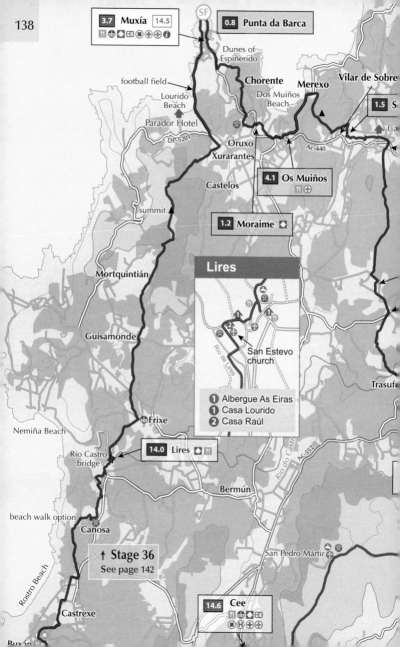

3.7 Muxía 14.5

0.8 Punta da Barca

Dunes of Espiñerido

football field

Chorente

Merexo

Vilar de Sobre

Dos Muiños Beach

Lourido Beach

Parador Hotel

DP-5201

1.5 S

Ca

Oruxo

Xurarantes

Ac-440

Castelos

4.1 Os Muiños

summit

1.2 Moraime

Lires

Mortquintián

San Estevo church

Guisamonde

Trasu

1 Albergue As Eiras
1 Casa Lourido
2 Casa Raúl

Río do Cast

Ac-552

Nemiña Beach

Frixe

Río Castro bridge

14.0 Lires

Bermún

beach walk option

Cañosa

Rostro Beach

↑ **Stage 36**
See page 142

San Pedro Mártir

Castrexe

14.6 Cee

Buyán

Vimianzo

Stage 35B
Start Olveiroa
Finish Muxía
Distance 31.6km
Duration 9hr

For additional town maps for Stage 35B see pages 140–141

rtiño de Ozón

rajás

4.3 Quintáns

Suxo

AC-440

Ac-552

N

0   1   2
km

A Grixa

Senande

Río do Fr

Olveiroa 276m
O Logoso 288m
Hospital 342m
Dumbría 189m
A Grixa 125m
Quintáns 88m
San Martiño 56m
Moraime 61m
Muxía 5m
Punta da Barca 16m

m
400
350
300
250
200
150
100
50

| 3.7 | 1.4 | 3.7 | 7.4 | 4.3 | 1.5 | 5.3 | 3.7 | 0.8/0.8 |

0   5   10   15   20   25   30   35km

Dumbría

Carizas

Enc
Fe

Río Xallas

Lady
nows

historic cross

1.4 Hospital

Casteliño

2.1 Olveiroa

3.7 O Logoso

crenellated
bridge

SF

DP-3404

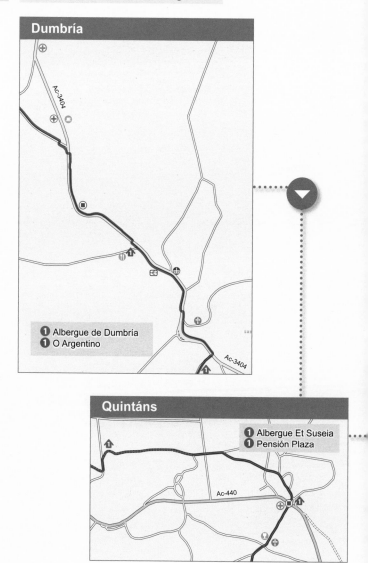

Dumbría

Ac-3404

1 Albergue de Dumbría
1 O Argentino

Ac-3404

Quintáns

1 Albergue Et Suseia
1 Pensión Plaza

Ac-440

Muxía

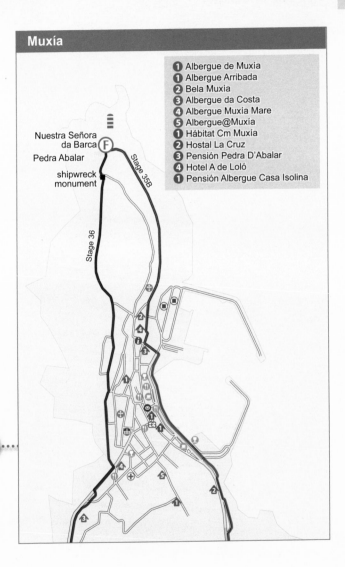

1 Albergue de Muxía
1 Albergue Arribada
2 Bela Muxía
3 Albergue da Costa
4 Albergue Muxía Mare
5 Albergue@Muxía
1 Hábitat Cm Muxía
2 Hostal La Cruz
3 Pensión Pedra D'Abalar
4 Hotel A de Loló
1 Pensión Albergue Casa Isolina

Nuestra Señora da Barca (F)
Pedra Abalar
shipwreck monument
Stage 35B
Stage 36

142

beach walk option

Canosa

For continuation of
Stage 36 see page 138

San Pedro

Rostro Beach

Castrexe

N

0   1   2
km

14.6 Cee

CG1.4

Buxán

4.9 Sardiñeiro

Arnela
Beach

Estorda

Vilar

Hormedesuxo

Amarela

San
Roque

2.0 Corcubión

Hotel Bela
Fisterra   Ac-445

Talón Beach

Stage 35A

Albergue San Roque

First monument

↑ Stage 36

5.8 Finisterre **14.0**

Mar de Fora Beach

SF

Vilar Vello ▲

Stage 35A

Stage 36	
Start	Finisterre (variant starts from Muxía)
Finish	Muxía (variant ends at Finisterre)
Distance	29.5km
Duration	8½hr

3.4 Cape Finisterre

F

Finisterre 13m   Buxán 90m   Lires 41m   Frixe 71m   summit 268m   Muxía 5m   Punta da Barca 16m

m
300
250
200
150
100
50
0

14   14.5   0.8

0   5   10   15   20   25   30 km